New INHA KOREAN 1

인하대학교 언어교육원
Inha University
Language Training Center

1

새인하한국어

최권진, 이은혜, 서상영, 정지현 지음

인하대학교 출판부
INHA UNIVERSITY PRESS

지은이

최권진
인하대학교 언어교육원 주임교수
소피아대학교 언어학 박사

이은혜
인하대학교 언어교육원 강사
이화여자대학교 대학원 한국어교육 석사

서상영
인하대학교 언어교육원 강사
고려대학교 대학원 한국어교육 석사

정지현
인하대학교 언어교육원 강사
인하대학교 대학원 다문화교육 박사

도움을 주신 분

– **지원:** 인하대학교 총장 박춘배, 인하대학교 언어교육원장 김태승
– **행정:** 인하대학교 출판부, 인하대학교 언어교육원 행정실
– **번역:** Evans Bradford Keith (영어), 김춘미 (중국어)
– **사진 · 삽화:** 언어교육원 교사와 가족, Foldesi Emese, Sabushimike Donatien, Ndour Moustapha, Li Yang, Le Hoai Giang, Dinh Huong Thao, Bendoufiaf Abdelmoumene, Duurenjargal Dulguun, Abdullah Hassan Abdulla, Pitigala Kankanamge Don, 박준형, 김가희, 김연진, 김혜원, 최충효 등
– **녹음:** 언어교육원 교사와 친구

국립중앙도서관 출판시도서목록(CIP)

새인하한국어 = New Inha Korean. 1 / 최권진, 이은혜, 서상영, 정지현 지음.
-- [인천] : 인하대학교 출판부, 2014
p. ; cm

색인수록
ISBN 978-89-7407-968-0 14700 : ₩27,000
ISBN 978-89-7407-961-1 (세트) 14700

한국어 학습[韓國語學習]
한국어 교재[韓國語教材]

717.6-KDC5
495.78-DDC21 CIP2014033314

일러두기

새인하한국어1은 한국어를 배우는 외국인 학습자를 위한 교재로 총 16과로 이루어져 있으며 각 과는 '단원 구성, 준비하기 1, 2, 문법, 말하기, 듣고 말하기, 읽고 말하기, 쓰기, 문화 이해하기'로 구성되어 있다. 교재 지문을 모두 CD에 포함하여 학습자의 발음을 수정하거나 스스로 듣는 훈련을 통해 한국어 듣기 능력을 향상할 수 있도록 하였다.

도입: 한 단원을 아우를 수 있게 영역별로 기능을 제시하였다. 또한 주제와 관련된 간단한 그림과 사진으로 보여 주어 학습자가 학습 목표를 이해하고 과에 흥미를 가질 수 있도록 하였다.

준비하기 1, 2: 준비하기는 1과 2의 두 부분이 있으며, 이것은 다시 대화와 문법, 연습하기로 나뉜다. 준비하기를 통하여 각 과에 주어진 과제를 수행하기 위해 필요한 어휘와 문법 및 표현을 익힐 수 있도록 구성하였다.

대화에서는 주제와 관련된 상황을 대화로 구성하여 상황에 맞는 기능을 동시에 학습할 수 있도록 하였다. 등장인물의 실제 사진을 제시하여 현실성을 높이고 학습자의 흥미를 유발하는 데에 도움이 되도록 하였다.

문법은 대화로 구성하여 문법이 사용된 상황을 잘 이해할 수 있도록 하였다. 의미뿐만 아니라 형태 연습에도 무리가 없도록 다양한 예문을 제시하였다.

연습하기는 문법을 익히는 단계이다. 두 사람의 대화 상황으로 제시하였으며 학습자는 연습을 통해 오류를 수정하고 문법을 정확하게 익힐 수 있다.

말하기: 준비하기1, 2와 말하기를 연계하여 배운 문법과 표현들을 학습자가 자신의 언어로 표현할 수 있도록 구성하였다. 각 과마다 예시를 주어 학습자들이 말하는 연습을 하는 데에 도움이 될 수 있도록 하였다.

듣고 말하기: 여러 가지 상황에서의 다양한 듣기 상황을 제시하였으며 문제를 함께 달아 학습자가 대화를 듣고 이해하였는지 확인할 수 있도록 하였다. 그리고 듣기 내용과 관련된 주제에 대해 학습자들이 서로 이야기해 볼 수 있도록 구성하였다.

읽고 말하기: 소개하는 글, 설명하는 글, 안내문 등 다양한 형식의 읽을거리를 제시하여 독해 연습이 가능하도록 하였으며 문제를 함께 달아 학습자가 글을 읽고 이해하는 능력을 향상시킬 수 있도록 하였다. 그리고 읽기 내용과 관련된 주제에 대해 학습자들이 서로 이야기해 볼 수 있도록 구성하였다.

쓰기: 읽기와 쓰기를 연계하여 주어진 과제를 이해하고 표현할 수 있도록 하였다. 앞에서 배운 표현들을 사용하여 쓸 수 있도록 읽기와 비슷한 상황을 제시하였다. 본격적인 쓰기를 하기 전에 관련된 질문과 개요를 제시하여 글의 구성을 좀 더 쉽게 파악할 수 있도록 하였다.

문화 이해하기: 각 과의 주제에서 심화된 내용을 바탕으로 주제와 관계가 있는 전통 문화와 현대 문화를 광범위하게 다루어 한국 문화에 대한 이해를 돕는 동시에 읽기 능력도 향상시킬 수 있도록 하였다.

문법 설명: 문법 설명에는 학습자들의 문법에 대한 이해를 높이기 위해 영어와 중국어로 문법을 설명해 놓았다.

부록: 부록에는 듣기 지문과 어휘 색인을 넣어 학습자가 참고할 수 있도록 하였다. 어휘 색인은 학습자들이 찾기 쉽도록 과별로 정리했다.

교재 구성표

1급	단원	준비하기1	문법	준비하기 2	문법
1과	**인사와 소개**	인사하기	• N입니다 / 입니까? • N이/가 • N은/는①	자기소개하기	• N이/가 아니다 • N도
2과	**학교와 집**	교실 물건을 말하기	• 이 / 그 / 저 • N의	학교 시설물의 위치를 설명하기	• N에① • N이/가 있다/없다
3과	**학교 생활**	학교생활을 말하기	• V-(스)ㅂ니다 / -(스)ㅂ니까? • N을/를 • N만	친구와 인사하기	• N에 가다/오다 • 수①
4과	**일상 생활**	일상생활에 대해 말하기	• N와/과 N, N하고 N • N에서	달력을 보고 말하기	• 수② • N에②
5과	**하루 일과**	하루 일과를 설명하기	• V-아/어/여요①, N이에/예요 • 수③	시간 정보를 묻기	• N부터 N까지 • 안 V / V-지 않다
6과	**주말**	지난 일에 대해 말하기	• V-았/었/였-, N이었/였- • V-고①, N(이)고	경험을 말하기	• AV-아/어/여 보다 • 으 동사
7과	**날씨와 계절**	날씨와 계절을 표현하기	• N은/는② • ㅂ 동사 • AV-아/어/여서①	계절 활동을 말하기	• N(으)로① • AV-(으)러 가다/오다
8과	**계획**	계획을 말하기	• AV-(으)ㄹ 거예요① • AV-고②	방학 계획을 세우기	• AV-기 전에, N 전에 • AV-(으)ㄴ 후에, N 후에 • N 동안
9과	**물건 사기**	물건을 사기	• 수④ • AV-(으)세요/-(으)십시오	선물을 추천하기	• N(이)랑 • AV-고 있다① • N에게(서)/한테(서)
10과	**음식**	음식을 추천하기	• AV-(으)ㄹ까요?① • AV-(으)ㅂ시다 • V-(으)니까①, N(이)니까	음식을 주문하기	• AV-고 싶다 • AV-겠-①
11과	**전화**	전화를 걸고 받기	• V-지요?, N(이)지요? • V-겠-②, N(이)겠- • AV-아/어/여 주다	전화를 바꿔주기	• V-(으)면, N(이)면 • ㄷ 동사
12과	**약속**	약속 시간을 정하기	• V-아/어/여서②, N이어/여서 • AV-(으)ㄹ 수 있다/없다	약속을 변경하고 사과하기	• V-(으)ㄹ까요?②, N일까요? • V-(으)ㄹ 거예요②, N일 거예요 • AV-(으)ㄹ게요
13과	**교통**	교통편을 묻기	• AV-아/어/여요② • N(으)로② • ㄹ 동사	길을 찾기	• V-거나, N(이)나 • 못 AV / AV-지 못하다
14과	**공공 장소**	은행에서 통장을 만들기	• AV-(으)려고 하다 • N께서, N께서는 • V-(으)시-, N(이)시-	우체국에서 소포를 보내기	• V-아/어/여야 되다/하다 • AV-지 말다
15과	**건강**	아픈 증상을 말하기	• N보다 • V-지만, N(이)지만 • DV-(으)ㄴ N	약국에서 약을 사기	• V-아/어/여도 되다(좋다, 괜찮다) • AV-(으)면 안 되다
16과	**가족**	가족을 소개하기	• AV-(으)ㄴ/는/(으) ㄹ N, N인 N • V-(으)ㄴ/는데, N인데	고향 방문을 준비하기	• N께 • AV-아/어/여 드리다/주시다

말하기	듣고 말하기	읽고 말하기	쓰기	문화 이해하기	발음
자기소개하기	자기소개를 듣고 말하기	친구를 소개하는 글을 읽고 말하기	친구를 소개하는 글 쓰기	머리를 숙이고 인사하기	ㅔ, ㅐ
위치를 묻고 답하기	집 위치를 설명하는 대화를 듣고 말하기	고향집을 소개하는 글을 읽고 말하기	고향집을 소개하는 글 쓰기	한국의 주소	ㅖ, ㅒ
인사하고 정보를 묻기	전화번호를 듣고 말하기	학교생활을 설명하는 글을 읽고 말하기	학교생활을 설명하는 글 쓰기	한국의 학교	ㅚ,ㅙ,ㅞ
일상생활을 묻고 말하기	일상생활 이야기를 듣고 말하기	한국에서의 일상생활에 대한 글을 읽고 말하기	한국에서의 일상생활에 대한 글 쓰기	한국의 일상적인 인사말	ㅢ
하루의 일과를 묻고 답하기	수업 정보를 듣고 말하기	하루 일과를 읽고 말하기	하루 일과를 소개하는 글 쓰기	하루를 정리하기	받침 ㄴ
과거에 경험한 일을 묻고 답하기	한국에서의 경험을 듣고 말하기	일기를 읽고 말하기	일기를 쓰기	한국의 명절	받침 ㄹ
한국의 계절에 대해 묻고 답하기	날씨와 여행 이야기를 듣고 말하기	좋아하는 계절에 대한 글을 읽고 말하기	좋아하는 계절에 대한 글 쓰기	한국의 계절과 여행	받침 ㅁ
미래 계획을 묻고 답하기	생일 선물을 준비하는 대화를 듣고 말하기	방학 계획에 대한 글을 읽고 말하기	방학 계획을 쓰기	새해 계획	받침 ㅇ
가게에서 물건을 사기	물건을 사는 대화를 듣고 말하기	특별한 날에 주는 선물에 대한 글을 읽고 말하기	특별한 날에 주는 선물에 대한 글 쓰기	한국의 시장	받침 ㅂ
음식을 고르고 주문하기	고향 음식을 소개하기	좋아하는 음식에 대한 글을 읽고 말하기	좋아하는 음식에 대한 글 쓰기	김밥을 만들기	받침 ㄱ
전화로 약속하기	전화로 초대하기	문자 메시지를 읽고 말하기	문자 메시지를 쓰기	전화 예절	받침 ㄷ
약속을 변경하고 다시 약속 시간을 정하기	제안을 거절하기	이메일로 약속하는 글을 읽고 말하기	이메일로 약속하는 글 쓰기	'다음에 밥 한 번 먹읍시다!'	겹받침 ㄳ 겹받침 ㄺ
목적지까지 가는 방법을 추천하기	지도에서 목적지를 찾기	목적지에 가는 글을 읽고 말하기	목적지에 가는 글 쓰기	한국의 대중교통	겹받침 ㄵ 겹받침 ㄶ
공공장소에서 직원에게 정보를 묻기	박물관 안내 방송을 듣고 말하기	도서관 이용 안내문을 읽고 말하기	교실 규칙을 쓰기	한국의 박물관과 민속촌	겹받침 ㄼ 겹받침 ㄾ 겹받침 ㅀ
병원에서 진찰을 받기	아픈 증상을 설명하는 대화를 듣고 말하기	약을 먹는 방법을 읽고 말하기	건강에 좋은 생활 습관을 조언하는 글 쓰기	한국인의 여가 활동	겹받침 ㄻ
가족사진을 보면서 가족을 소개하기	고향을 소개하는 대화를 듣고 말하기	부모님께 쓴 편지를 읽고 말하기	가족에게 편지를 쓰기	한국의 호칭	겹받침 ㅄ 겹받침 ㄿ

주요 인물

왕루
중국 사람, 언어교육원생

자르갈
몽골 사람, 언어교육원생

아멜리
프랑스 사람, 언어교육원생

파하드
사우디 사람, 언어교육원생

오위노
케냐 사람, 대학원생

흐엉
베트남 사람, 대학생

로빈
영국 사람, 영어 강사

최수지
한국 사람, 대학생

박지성
한국 사람, 대학생

노민우
한국 사람, 언어교육원 교사

차례

제1과 인사와 소개

준비하기 1
인사하기
N입니다 / N입니까?
N이/가
N은/는①

준비하기 2
자기소개하기
N이/가 아니다
N도

말하기
자기소개하기

듣고 말하기
자기소개를 듣고 말하기

읽고 말하기
친구를 소개하는 글을 읽고 말하기

쓰기
친구를 소개하는 글 쓰기

문화 이해하기
머리를 숙이고 인사하기

1 인사와 소개

준비하기1 101

인사하기

- 처음
- 뵙다
- 네
- 저
- 이름
- 무엇
- 제
- 씨
- 나라
- 사람
- 어디
- 만나다
- 반갑다

왕 루: 안녕하십니까? 처음 뵙겠습니다.

자르갈: 네, 안녕하십니까? 저는 자르갈입니다. 처음 뵙겠습니다.
이름이 무엇입니까?

왕 루: 제 이름은 왕루입니다. 자르갈 씨는 어느 나라 사람입니까?

자르갈: 저는 몽골 사람입니다. 왕루 씨는 어디에서 왔습니까?

왕 루: 저는 중국에서 왔습니다. 만나서 반갑습니다.

자르갈: 만나서 반갑습니다.

표현

처음 뵙겠습니다, 만나서 반갑습니다, 어디에서 왔습니까?, N에서 왔습니다

어느 N: 어느 나라 사람입니까?

나라 이름

한국	중국	일본	몽골	베트남	캄보디아	필리핀	러시아
		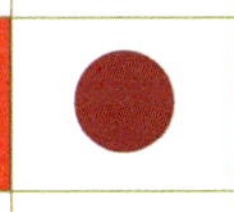					
카자흐스탄	키르기스스탄	케냐	사우디아라비아	영국	프랑스	미국	캐나다
		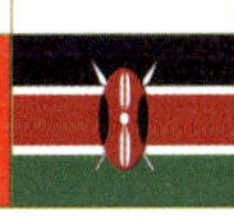					

인사

안녕히 가십시오.

안녕히 계십시오.

축하합니다.

고맙습니다.
감사합니다.

미안합니다.
죄송합니다.

괜찮습니다.

1. N입니다 / N입니까?

1) 가: 이름이 무엇입니까?
   나: 저는 왕루입니다.
2) 가: 왕루 씨는 어느 나라 사람입니까?
   나: 저는 중국 사람입니다.

연습하기1

1. 다음과 같이 이야기해 보십시오.

왕루
자르갈
가: **처음 뵙겠습니다. 저는** 왕루**입니다. 이름이 무엇입니까?**
나: **제 이름은** 자르갈**입니다. 만나서 반갑습니다.**
가: **만나서 반갑습니다.**

1) 아멜리
   파하드
2) 최수지
   오위노
3) 로빈
   흐엉

2. 다음과 같이 이야기해 보십시오.

몽골 / 왕루
중국
가: **저는** 몽골 **사람입니다.** 왕루 **씨는 어느 나라 사람입니까?**
나: **저는** 중국 **사람입니다. 만나서 반갑습니다.**
가: **만나서 반갑습니다.**

1) 중국 / 파하드
   사우디
2) 일본 / 아멜리
   프랑스
3) 태국 / 흐엉
   베트남

2. N이/가

1) 가: 이름이 무엇입니까?
   나: 제 이름은 파하드입니다.
   가: 파하드 씨는 어디에서 왔습니까?
   나: 저는 사우디에서 왔습니다.

3. N은/는①

1) 저는 파하드입니다.
2) 선생님은 한국 사람입니다.

연습하기2, 3

1. 다음과 같이 이야기해 보십시오.

> **왕루**
> **파하드**
> 가: **저는** 왕루**입니다. 이름이 무엇입니까?**
> 나: **제 이름은** 파하드**입니다.**

1) 아멜리
   로빈
2) 최수지
   오위노
3) 자르갈
   흐엉

2. 다음과 같이 이야기해 보십시오.

> **왕루 씨 / 중국**
> **중국**
> 가: 왕루 씨**는** 중국 **사람입니까?**
> 나: **네, 저는** 중국 **사람입니다.**

1) 로빈 씨 / 미국
   미국
2) 아멜리 씨 / 프랑스
   프랑스
3) 파하드 씨 / 사우디
   사우디

준비하기2 102

자기소개하기

- 선생님
- 아니요
- 학생

아멜리: 안녕하세요? 저는 아멜리입니다. 이름이 무엇입니까?

파하드: 제 이름은 파하드입니다. 사우디에서 왔습니다.
아멜리 씨도 사우디 사람입니까?

아멜리: 아니요, 저는 사우디 사람이 아닙니다. 프랑스 사람입니다.
파하드 씨는 선생님입니까?

파하드: 아니요, 저는 선생님이 아닙니다. 학생입니다.

아멜리: 저도 학생입니다. 만나서 반갑습니다.

파하드: 만나서 반갑습니다.

• 의사
• 영어

4. N이/가 아니다

1) 가: 왕루 씨는 몽골 사람입니까?
   나: 아니요, 저는 몽골 사람이 아닙니다. 중국 사람입니다.
2) 가: 파하드 씨는 의사입니까?
   나: 아니요, 저는 의사가 아닙니다. 학생입니다.

5. N도

1) 가: 저는 중국 사람입니다.
   나: 저도 중국 사람입니다.
2) 가: 저는 영어 선생님입니다. 로빈 씨도 영어 선생님입니까?
   나: 네, 저도 영어 선생님입니다.

연습하기4

1. 다음과 같이 이야기해 보십시오.

왕루
자르갈 / 왕루 / 몽골
몽골 / 중국

가: **안녕하세요? 저는** 왕루**입니다.**
나: **네, 안녕하세요? 저는** 자르갈**입니다.** 왕루 **씨는** 몽골 **사람입니까?**
가: **아니요, 저는** 몽골 **사람이 아닙니다.** 중국 **사람입니다.**

1) 아멜리
   로빈 / 아멜리 / 일본
   일본 / 프랑스
2) 최수지
   오위노 / 최수지 / 중국
   중국 / 한국
3) 자르갈
   흐엉 / 자르갈 / 중국
   중국 / 몽골

- 회사원
- 기자
- 요리사

2. 다음과 같이 이야기해 보십시오.

의사
의사 / 학생

가: **안녕하세요? 저는 파하드입니다.**
나: **네, 안녕하세요? 저는 아멜리입니다. 파하드 씨는** 의사**입니까?**
가: **아니요, 저는** 의사**가 아닙니다.** 학생**입니다.**

1) 회사원
   회사원 / 의사
2) 기자
   기자 / 요리사
3) 요리사
   요리사 / 선생님

연습하기5

1. 다음과 같이 이야기해 보십시오.

• 간호사

자르갈 / 중국
중국 / 몽골
몽골

가: 자르갈 **씨는** 중국 **사람입니까?**
나: **아니요, 저는** 중국 **사람이 아닙니다. 저는** 몽골 **사람입니다.**
가: **저도** 몽골 **사람입니다.**

1) 왕루 / 러시아
   러시아 / 중국
   중국
2) 흐엉 / 몽골
   몽골 / 베트남
   베트남
3) 파하드 / 케냐
   케냐 / 사우디
   사우디

2. 다음과 같이 이야기해 보십시오.

아멜리 / 의사
의사

가: 아멜리 **씨는** 의사**입니까?**
나: **아니요, 저는** 의사**가 아닙니다. 저는 학생입니다.**
가: **저도 학생입니다.**

1) 왕루 / 선생님
   선생님
2) 흐엉 / 간호사
   간호사
3) 자르갈 / 회사원
   회사원

말하기

자기소개하기

1. 배운 문법을 활용하여 〈보기〉와 같이 대화해 보십시오.

이름	나라	직업
왕루	몽골 / 중국 (×) / (○)	선생님 / 학생 (×) / (○)
흐엉	베트남	학생

보기

왕루: 안녕하십니까?
흐엉: 네, 안녕하세요? 제 이름은 (**흐엉**)입니다. 이름이 무엇입니까?
왕루: 저는 (**왕루**)입니다. (**흐엉**) 씨는 어느 나라 사람입니까?
흐엉: 저는 (**베트남**) 사람입니다. 왕루 씨는 (**몽골**) 사람입니까?
왕루: 아니요, 저는 (**몽골**) 사람이 아닙니다. (**중국**)에서 왔습니다.
흐엉: (**왕루**) 씨는 (**선생님**)입니까?
왕루: 아니요, 저는 (**선생님**)이/가 아닙니다. (**학생**)입니다.
(**흐엉**) 씨도 (**학생**)입니까?
흐엉: 네, 저도 (**학생**)입니다. 반나서 반갑습니다.
왕루: 만나서 반갑습니다.

2. 친구들과 함께 대화해 보십시오.

	이름	나라	직업
1)	자르갈	중국 / 몽골 (×) / (○)	기자 / 학생 (×) / (○)
	아멜리	프랑스	학생
2)	나		
	친구		

듣고 말하기 103

1. 무엇을 합니까? 이야기해 보십시오

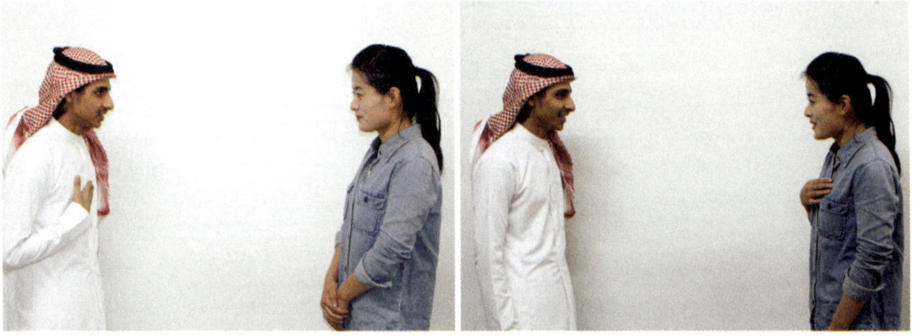

2. 다음을 듣고 물음에 답하십시오.

1) 무슨 이야기를 합니까?

2) 나라와 직업을 쓰십시오.

이름	나라	직업
왕루		
파하드		

3) 들은 내용과 같은 것을 고르십시오. (   )

① 왕루 씨, 파하드 씨는 처음 만납니다.
② 왕루 씨는 중국 사람이 아닙니다.
③ 파하드 씨는 사우디 사람이 아닙니다.
④ 왕루 씨, 파하드 씨는 회사원입니다.

3. 친구들에게 자기소개를 해 보십시오.

읽고 말하기

친구를 소개하는 글을 읽고 말하기

1. 무엇을 합니까? 이야기해 보십시오.

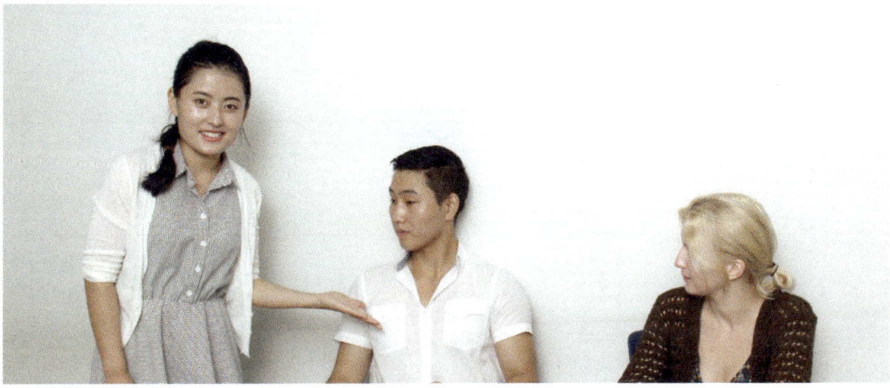

• 친구
• 모두
• 우리
• 반

2. 다음을 읽고 물음에 답하십시오.

> 안녕하십니까? 만나서 반갑습니다. 제 이름은 왕루입니다. 저는 중국에서 왔습니다. 저는 학생입니다.
>
> 아멜리 씨는 제 친구입니다. 아멜리 씨는 중국 사람이 아닙니다. 프랑스에서 왔습니다. 자르갈 씨도 제 친구입니다. 자르갈 씨는 몽골 사람입니다. 자르갈 씨도 학생입니다.
>
> 모두 우리 반 친구입니다.

1) 무엇에 대한 이야기입니까? 알맞은 것을 고르십시오. (　　　　)

① 이름　② 나라　③ 소개　④ 공부

2) 이 글의 내용과 같은 것을 고르십시오. (　　　　)

① 왕루 씨는 선생님입니다.
② 왕루 씨는 중국에서 왔습니다.
③ 자르갈 씨는 프랑스 사람입니다.
④ 아멜리 씨는 우리 반 친구가 아닙니다.

3. 여러분의 친구를 소개해 보십시오.

쓰기

1. 친구를 소개하는 글을 써 보십시오.

1) 개요를 써 보십시오.

개요			
이름			
나라			
직업			

2) 위 개요를 바탕으로 글을 써 보십시오.

문화 이해하기

머리를 숙이고 인사하기

1. 무엇을 합니까? 이야기해 보십시오.

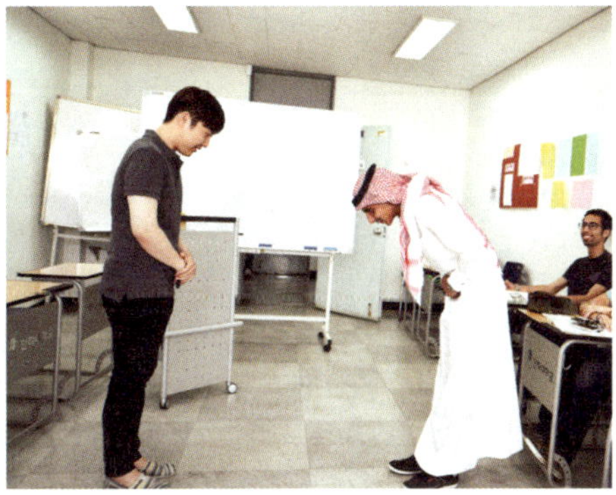

- 눈
- 보다
- 인사하다
- 머리
- 숙이다

2. 다음을 읽고 이야기해 보십시오.

친구를 만납니다.
"안녕하세요?"
눈을 보고 인사합니다.

선생님을 만납니다.
"안녕하십니까?"
머리를 숙이고 인사합니다.

1) 친구를 만납니다. 어떻게 인사합니까?

2) 선생님을 만납니다. 어떻게 인사합니까?

3) 여러분 나라에서는 어떻게 인사합니까? 이야기해 보십시오.

발음 104

'ㅔ': 제, 게, 가게, 체하다
'ㅐ': 새, 학생, 노래, 배우다, 채소

제2과 학교와 집

준비하기 1
교실 물건을 말하기
이 / 그 / 저
N의

준비하기 2
학교 시설물의 위치를 설명하기
N에①
N이/가 있다/없다

말하기
위치를 묻고 답하기

듣고 말하기
집 위치를 설명하는 대화를 듣고 말하기

읽고 말하기
고향집을 소개하는 글을 읽고 말하기

쓰기
고향집을 소개하는 글 쓰기

문화 이해하기
한국의 주소

2014
최우수대학 선정

2 학교와 집

준비하기1 105

교실 물건을 말하기

- 이것
- 그것
- 책상
- 저것
- 시계
- 가방
- 것
- 여기
- 누구
- 교실

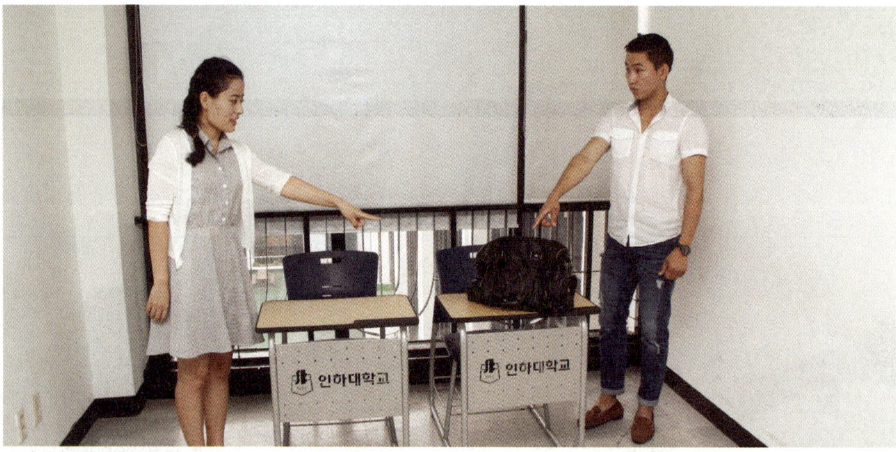

왕 루: 자르갈 씨, 이것이 무엇입니까?
자르갈: 그것은 책상입니다.
왕 루: 저것이 무엇입니까?
자르갈: 저것은 시계입니다.
왕 루: 그 가방이 자르갈 씨의 가방입니까?
자르갈: 아니요, 이 가방은 제 것이 아닙니다. 아멜리 씨의 가방입니다.
왕 루: 여기가 누구의 교실입니까?
자르갈: 여기는 우리의 교실입니다.

표현

누구

1) 누구입니까?
2) 누구의 교실입니까?

1. 이 / 그 / 저

1) 가: 이것이 무엇입니까?
   나: 이것은 책입니다.

2) 가: 그것이 무엇입니까?
   나: 이것은 휴대전화입니다.

3) 가: 저것이 무엇입니까?
   나: 저것은 칠판입니다.

> 이것이, 그것이, 저것이 = 이게, 그게, 저게 / 이것은, 그것은, 저것은 = 이건, 그건, 저건
> 이곳, 그곳, 저곳 = 여기, 저기, 거기

- 책
- 휴대전화
- 칠판
- 안경
- 아버지
- 공책

2. N의

1) 가: 그 책이 누구의 책입니까?
   나: 이 책은 제 것입니다.
2) 가: 이 안경이 누구의 것입니까?
   나: 그 안경은 제 아버지의 것입니다.
3) 가: 저 공책이 누구의 것입니까?
   나: 저 공책은 박지성 씨의 공책입니다.

> 저의 → 제 / 나의 → 내 / 너의 → 네

연습하기1

1. 친구와 같이 이야기해 보십시오.

- 거울
- 창문
- 연필
- 의자

1) 가: ______________이/가 무엇입니까?

나: ____.

2) 가: __________________이/가 무엇입니까?

나: ____.

3) 가: __________________이/가 무엇입니까?

나: ____.

2. 다음과 같이 이야기해 보십시오.

이것
그것 / 연필
가: 이것**이 무엇입니까?**
나: 그것**은** 연필**입니다.**

1) 이것
이것 / 책
2) 그것
이것 / 가방
3) 이것
그것 / 의자
4) 저것
저것 / ____________

연습하기2

1. 다음과 같이 이야기해 보십시오.

그 볼펜 / 볼펜
이 볼펜 / 제
가: 그 볼펜**이 누구의** 볼펜**입니까?**
나: 이 볼펜**은** 제 **것입니다.**

- 볼펜
- 지우개
- 필통
- 사전
- 신발

1) 이 가방 / 가방
   그 가방 / 아멜리 씨
2) 그 지우개 / 지우개
   이 지우개 / 박지성 씨
3) 저 필통 / 필통
   저 필통 / 싸하드 씨

2. 다음과 같이 이야기해 보십시오.

이 연필 / 왕루 씨의 연필
왕루 씨의 연필
왕루 씨의 연필 / 자르갈 씨의 연필
가: 이 연필**이** 왕루 씨의 연필**입니까?**
나: **네,** 왕루 씨의 연필**입니다.** /
아니요, 왕루 씨의 연필**이 아닙니다.** 자르갈 씨의 연필**입니다.**

1) 이 책 / 흐엉 씨의 책
   흐엉 씨의 책
   흐엉 씨의 책 / 로빈 씨의 책
2) 그 사전 / 최수지 씨의 사전
   최수지 씨의 사전
   최수지 씨의 사전 / 오위노 씨의 사전
3) 저 신발 / 박지성 씨의 신발
   박지성 씨의 신발
   박지성 씨의 신발 / 로빈 씨의 신발

준비하기2 106

학교 시설물의 위치를 설명하기

- 학교
- 은행
- 있다
- 건물
- 옆
- 도서관
- 운동장
- 앞

아멜리: 파하드 씨, 안녕하세요?

파하드: 네, 아멜리 씨, 안녕하세요? 학교에 은행이 있습니까?

아멜리: 예, 학교에 은행이 있습니다.

파하드: 은행이 어디에 있습니까?

아멜리: 이 건물 옆에 있습니다.

파하드: 도서관은 어디에 있습니까?

아멜리: 도서관은 운동장 앞에 있습니다.

파하드: 아멜리 씨, 고맙습니다.

3. N에①

1) 가: 교실에 무엇이 있습니까?
   나: 교실에 책상이 있습니다.
2) 가: 교실에 칠판이 있습니까?
   나: 네, 교실에 칠판이 있습니다.

- 없다
- 방
- 침대

4. N이/가 있다/없다

1) 가: 방에 뭐가 있습니까?
   나: 방에 침대가 있습니다.
2) 가: 방에 책상이 있습니까?
   나: 아니요, 방에 책상이 없습니다.

무엇이 = 뭐가

연습하기3

1. 친구와 같이 이야기해 보십시오.

1) 가: 책상에 무엇이 있습니까?

나: ____________________.

2) 가: 가방에 무엇이 있습니까?

나: ____________________.

3) 가: 교실에 칠판이 있습니까?

나: ____________________.

4) 가: 친구의 책상 위에 책이 있습니까?

나: ____________________.

2. 친구와 같이 이야기해 보십시오.

1) 가: 교실에 무엇이 없습니까?

나: ____________________.

2) 가: 방에 무엇이 없습니까?

나: ____________________.

3) 가: 가방에 신발이 있습니까?

나: ____________________.

4) 가: 친구의 책상 위에 가방이 있습니까?

나: ____________________.

위치

위	아래(밑)
	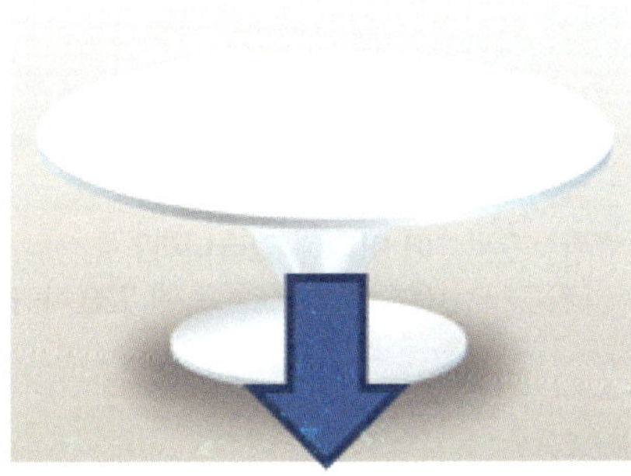

옆	왼쪽	오른쪽
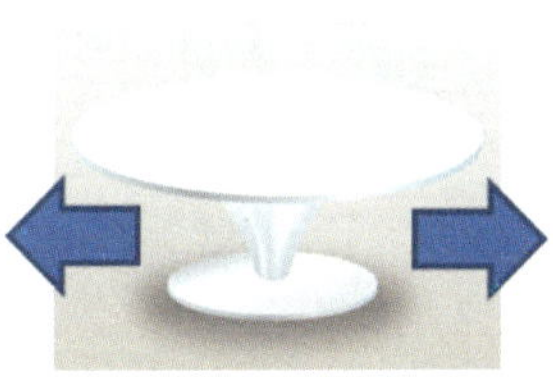	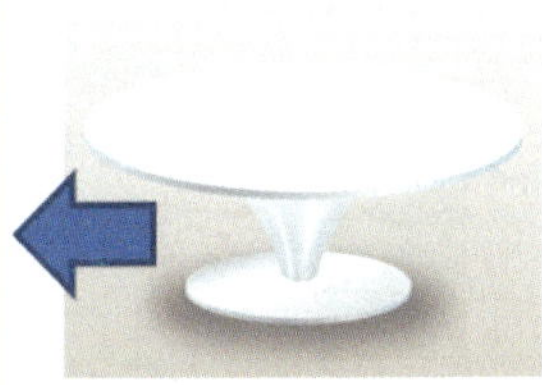	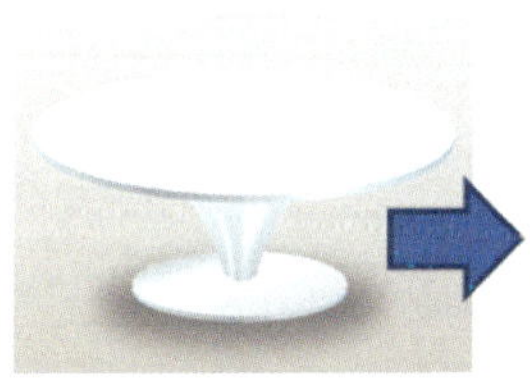

앞	뒤	안	밖

건너편/맞은편	근처
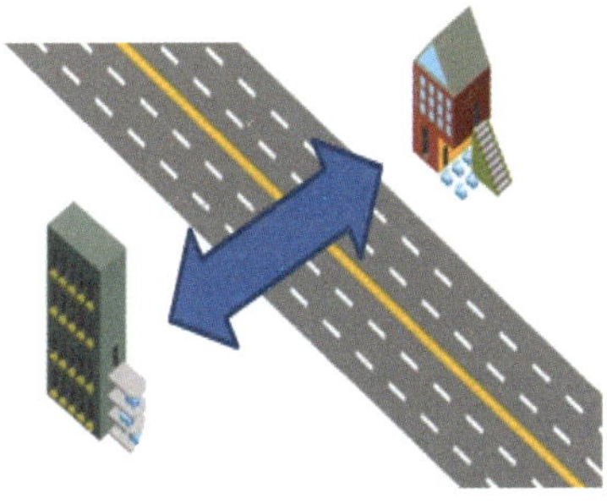	

연습하기4

1. 다음과 같이 이야기해 보십시오.

- 식당
- 우체국
- 매점
- 본관
- 정문
- 후문
- 컴퓨터
- 냉장고
- 고향
- 집

도서관
도서관 / 운동장 오른쪽
가: 도서관**이 어디에 있습니까?**
나: 도서관**은** 운동장 오른쪽**에 있습니다.**

1) 9호관 / ______________

2) 드림센터 / ______________

3) 본관 / ______________

4) 도서관 / ______________

5) 운동장 / ______________

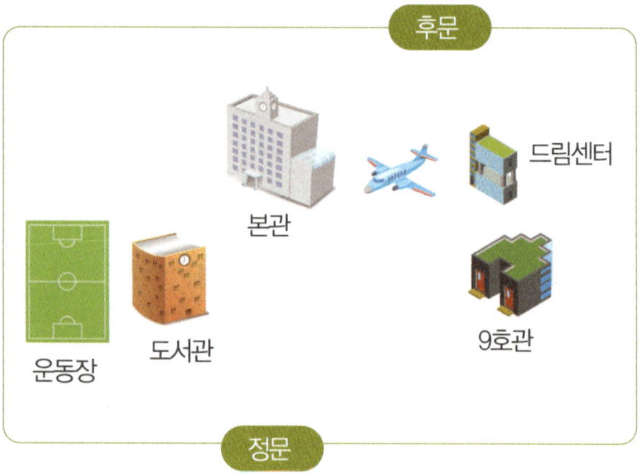

2. 다음과 같이 이야기해 보십시오.

방
방 / 책상, 침대, 컴퓨터, 냉장고
가: 방**에 무엇이 있습니까?**
나: **제** 방**에** 책상, 침대, 컴퓨터, 냉장고**가 있습니다.**

1) 교실 / 책상, 의자, 칠판, 시계

2) 책상 위 / 책, 공책, 연필, 볼펜, 지우개

3) 가방 안 / ______________

4) 고향의 집 / ______________

말하기

위치를 묻고 답하기

1. 배운 문법을 활용하여 〈보기〉와 같이 대화해 보십시오.

이름	무엇	어디
로빈	도서관	운동장 앞
제냐	서점	은행 아래

보기

로빈: (**제냐**) 씨, 안녕하세요?
제냐: (**로빈**) 씨, 안녕하세요?
로빈: 학교에 (**도서관**)이/가 있습니까?
제냐: 네, (**도서관**)이/가 있습니다.
로빈: 어디에 있습니까?
제냐: (**도서관**)은/는 (**운동장 앞**)에 있습니다.
(**로빈**) 씨, 학교에 (**서점**)이/가 있습니까?
로빈: 네, (**서점**)은/는 (**은행 아래**)에 있습니다.
제냐: 감사합니다. 안녕히 가세요.
로빈: 네, 안녕히 가세요.

• 서점
• 커피숍

2. 친구들과 함께 대화해 보십시오.

		무엇	어디
1)	나	운동장	도서관 뒤
	친구	커피숍	우체국 옆
2)	나		
	친구		

듣고 말하기 107

집 위치를 설명하는 대화를 듣고 말하기

1. 무엇을 합니까? 이야기해 보십시오.

2. 다음을 듣고 물음에 답하십시오.

1) 은행이 어디에 있습니까? (   )

2) 아멜리 씨의 집이 어디입니까? (   )

3) 파하드 씨의 집이 어디입니까? (   )

3. 반 친구들에게 여러분의 집 위치를 이야기해 보십시오.

읽고 말하기

고향집을 소개하는 글을 읽고 말하기

1. 무엇입니까? 이야기해 보십시오.

- 이층집
- 거실
- 부엌
- 아래층
- 화장실
- 부모님
- 텔레비전
- 소파
- 식탁
- 옷장
- 위층

2. 다음을 읽고 물음에 답하십시오.

저는 로빈입니다. 제 고향집은 미국의 시카고에 있습니다. 우리 집은 이층집입니다.

(㉠)에는 거실, 부엌, 아래층 화장실, 부모님 방이 있습니다. 거실에 텔레비전, 소파가 있습니다. 부엌에 냉장고, 식탁이 있습니다. 부모님 방에 침대, 옷장이 있습니다.

위층에는 제 방, 위층 화장실이 있습니다. 제 방에 침대, 책상, 옷장이 있습니다. 책상 위에 책, 공책, 컴퓨터가 있습니다. 화장실은 제 방의 오른쪽에 있습니다.

1) 무엇에 대한 이야기입니까? 알맞은 것을 고르십시오. ( )

① 로빈 씨의 방　② 로빈 씨의 집
③ 로빈 씨의 고향　④ 로빈 씨의 부모님

2) ㉠에 알맞은 것을 고르십시오. ( )

① 이것　② 어디　③ 아래층　④ 옆 방

3) 이 글의 내용과 같은 것을 고르십시오. ( )

① 부엌에 텔레비전이 있습니다.
② 부모님 방에 컴퓨터가 없습니다.
③ 위층에 방, 화장실, 거실이 있습니다.
④ 로빈 씨의 방 오른쪽에 옷장이 있습니다.

3. 여러분의 고향집을 소개해 보십시오.

쓰기

1. 고향집을 소개하는 글을 써 보십시오.

1) 개요를 써 보십시오.

개요		
처음	고향집이 어디에 있습니까?	
가운데	고향집에 무엇이 있습니까?	
끝	내 방에 무엇이 있습니까?	

2) 위 개요를 바탕으로 글을 써 보십시오.

문화 이해하기

한국의 주소

1. 무엇입니까? 이야기해 보십시오.

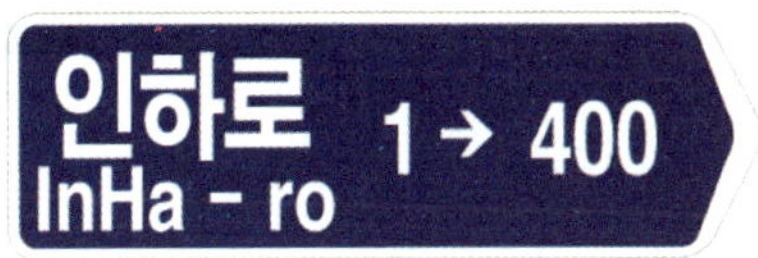

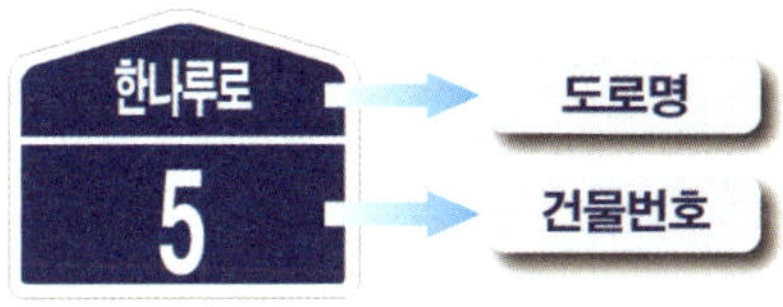

- 도로
- 번호
- 도시
- 구
- 주소

2. 다음을 읽고 이야기해 보십시오.

인하대학교 주소: 인천시 남구 인하로 100

↓ ↓ ↓ ↓

도시 구 도로 건물 번호

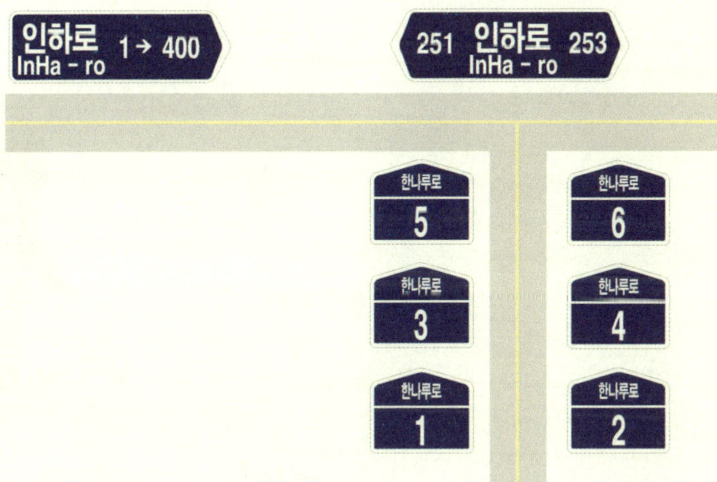

1) 한국의 주소는 어떻습니까?

2) 여러분 나라의 주소는 어떻습니까? 이야기해 보십시오.

발음 108

'ㅖ': 예, 예절, 예순, 계란, 계절

'ㅒ': 얘, 걔, 쟤, 얘기

제3과 학교생활

준비하기 1
학교생활을 말하기
V-(스)ㅂ니다 / (스)ㅂ니까?
N을/를
N만

준비하기 2
친구와 인사하기
N에 가다/오다
수①

말하기
인사하고 정보를 묻기

듣고 말하기
전화번호를 듣고 말하기

읽고 말하기
학교생활을 설명하는 글을 읽고 말하기

쓰기
학교생활을 설명하는 글 쓰기

문화 이해하기
한국의 학교

3 학교생활

준비하기1 109

• 배우다
• 한국어
• 재미있다

자르갈: 왕루 씨는 무엇을 배웁니까?
왕 루: 한국어를 배웁니다.
자르갈: 한국어만 배웁니까?
왕 루: 아니요, 영어도 배웁니다. 자르갈 씨도 한국어를 배웁니까?
자르갈: 네, 저도 한국어를 배웁니다.
왕 루: 한국어가 어떻습니까?
자르갈: 한국어가 재미있습니다.

표현

N이/가 어떻습니까?: 한국어가 어떻습니까?

1. V-(스)ㅂ니다 / (스)ㅂ니까?

1) 가: 무엇을 봅니까?
   나: 한국어 책을 봅니다.
2) 가: 한국어 책이 어떻습니까?
   나: 한국어 책이 재미있습니다.

2. N을/를

1) 가: 무엇을 먹습니까?
   나: 밥을 먹습니다.
2) 가: 무엇을 합니까?
   나: 한국어를 배웁니다.

무엇을 = 뭘 = 뭐

3. N만

1) 가: 가방에 무엇이 있습니까?
   나: 가방에 책만 있습니다.
2) 가: 한국어만 공부합니까?
   나: 아니요, 중국어도 공부합니다.

- 먹다
- 밥
- 중국어

연습하기1

1. 다음과 같이 이야기해 보십시오.

- 영화
- 음악
- 듣다
- 읽다
- 버스
- 타다
- 재미없다
- 크다
- 작다
- 넓다
- 좁다
- 많다
- 적다
- 쉽다
- 어렵다
- 공원
- 깨끗하다
- 더럽다

영화를 보다
영화를 보다
가: 영화를 **봅니까?**
나: **네,** 영화를 **봅니다.**

1) 음악을 듣다
   음악을 듣다
2) 책을 읽다
   책을 읽다
3) 버스를 타다
   버스를 타다
4) 한국어를 배우다
   한국어를 배우다

2. 다음과 같이 이야기해 보십시오.

영화
영화 / 재미있다 / 영화 / 재미없다
가: 영화**가 어떻습니까?**
나: 영화**가** 재미있**습니다.** / 영화**가** 재미없**습니다.**

1) 학교
   학교 / 크다 / 학교 / 작다
2) 교실
   교실 / 넓다 / 교실 / 좁다
3) 사람
   사람 / 많다 / 사람 / 적다
4) 한국어
   한국어 / 쉽다 / 한국어 / 어렵다
5) 공원
   공원 / 깨끗하다 / 공원 / 더럽다

연습하기2

1. 다음과 같이 이야기해 보십시오.

> **잡지 / 보다**
> 가: **무엇을 합니까?**
> 나: 잡지를 **봅니다.**

1) 책 / 읽다
2) 친구 / 만나다
3) 커피 / 마시다
4) 편지 / 쓰다

2. 다음과 같이 이야기해 보십시오.

> **영화 / 보다**
> **음악 / 듣다**
> 가. 영화를 **봅니까?**
> 나: **아니요,** 음악을 듣**습니다.**

1) 영어 / 배우다
   한국어 / 배우다
2) 커피 / 마시다
   우유 / 마시다
3) 노래 / 부르다
   춤 / 추다
4) 버스 / 타다
   지하철 / 타다

- 잡지
- 커피
- 마시다
- 편지
- 쓰다
- 우유
- 노래
- 부르다
- 춤
- 추다
- 지하철

연습하기3

1. 다음과 같이 이야기해 보십시오.

- 라디오
- 빵
- 선물
- 주다
- 사다

교실 / 누가
교실 / 왕루 씨
가: 교실**에** 누가 **있습니까?**
나: 교실**에** 왕루 씨**만 있습니다.**

누가 = 누구 + 가

1) 책상 위 / 무엇
   책상 위 / 책
2) 필통 안 / 무엇
   필통 안 / 연필
3) 방 안 / 누가
   방 안 / 자르갈 씨

2. 다음과 같이 이야기해 보십시오.

텔레비전 / 보다
라디오 / 듣다
가: 텔레비전**만 봅니까?**
나: **아니요,** 라디오**도** 듣**습니다.**

1) 빵 / 먹다
   우유 / 마시다
2) 노래 / 부르다
   선물 / 주다
3) 책 / 사다
   공책 / 사다

준비하기2 110

아멜리: 파하드 씨, 안녕하십니까?

파하드: 안녕하세요? 아멜리 씨. 어디에 갑니까?

아멜리: 도서관에 갑니다. 파하드 씨는 어디에 갑니까?

파하드: 저는 교실에 갑니다.

아멜리: 파하드 씨의 교실이 어디에 있습니까?

파하드: 우리 교실은 5층에 있습니다.

아멜리: 교실이 몇 호입니까?

파하드: 501호입니다.

- 가다
- 층
- 호

표현

몇 N: 몇 호입니까?

• 다니다

4. N에 가다/오다/다니다

1) 가: 어디에 갑니까?
   나: 학교에 갑니다.
2) 가: 어디에 다닙니까?
   나: 저는 인하대학교에 다닙니다.

5. 수①

0 영	1 일	2 이	3 삼	4 사	5 오	6 육	7 칠	8 팔	9 구	10 십
	11 십일	12 십이	13 십삼	14 십사	15 십오	16 십육	17 십칠	18 십팔	19 십구	20 이십
		20 이십	30 삼십	40 사십	50 오십	60 육십	70 칠십	80 팔십	90 구십	100 백
										1,000 천
										10,000 만

234 이백삼십사

4,578 사천오백칠십팔

27,604 이만 칠천육백사

연습하기4

1. 다음과 같이 이야기해 보십시오.

은행
가: **어디에 갑니까?**
나: 은행**에 갑니다.**

1) 가게
2) 공원
3) 편의점

- 가게
- 편의점
- 회사
- 대학교

2. 다음과 같이 이야기해 보십시오.

자르갈 씨 / 학교
학교
가: 자르갈 씨, 학교**에 옵니까?**
나: **네, 저는** 학교**에 갑니다.**

1) 파하드 씨 / 도서관
도서관
2) 아멜리 씨 / 교실
교실
3) 왕루 씨 / 학생 식당
학생 식당

3. 다음과 같이 이야기해 보십시오.

회사
가: **어디에 다닙니까?**
나: 회사**에 다닙니다.**

1) 은행
2) 대학교

연습하기5

- 번
- 전화번호

1. 다음 숫자를 말해 보십시오.

6	8	13	45	93
872	3,215	12,321	48,265	39,802

2. 다음과 같이 이야기해 보십시오.

저 버스 / 몇 번
저 버스 / 511번
가: 저 버스**가** 몇 번**입니까?**
나: 저 버스**는** 511번**입니다.**

1) 여기 / 몇 층
   여기 / 7층
2) 이 교실 / 몇 호
   이 교실 / 316호

3. 다음과 같이 이야기해 보십시오.

왕루 씨
010 – 4321 – 5678
가: 왕루 씨, **전화번호가 몇 번입니까?**
나: **제 번호는** 010 – 4321 – 5678**입니다.**

1) 아멜리 씨
   019–2345–2204
2) 자르갈 씨
   070–3344–7890

말하기

인사하고 정보를 묻기

1. 배운 문법을 사용하여 〈보기〉와 같이 이야기해 보십시오.

• 빌딩
• 약국
• 꽃집

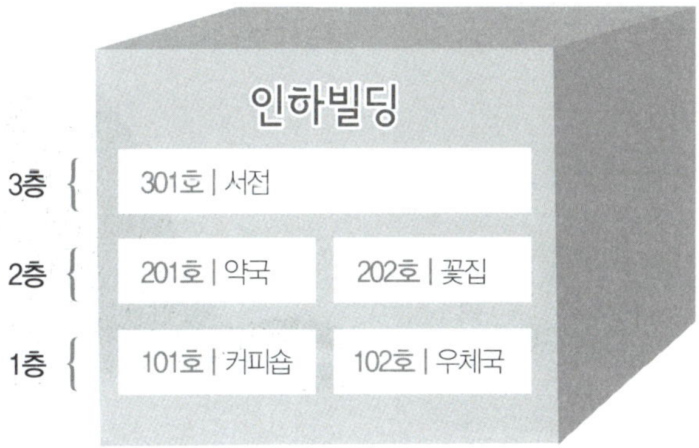

파하드: 커피숍에 갑니다.	아멜리: 서점에 갑니다.

보기

파하드: (**아멜리**) 씨, 안녕하십니까?
아멜리: (**파하드**) 씨, 안녕하세요? 어디에 갑니까?
파하드: 저는 (**커피숍**)에 갑니다. (**아멜리**) 씨는 어디에 갑니까?
아멜리: 저는 (**서점**)에 갑니다.
파하드: (**서점**)이/가 몇 호입니까?
아멜리: (**서점**)은/는 (**301호**)입니다. (**커피숍**)이/가 몇 층에 있습니까?
파하드: (**커피숍**)은/는 (**1층**)에 있습니다.
아멜리: (**1층**)에 (**커피숍**)만 있습니까?
파하드: (**아니요**), (**우체국도**) 있습니다.

2. 친구들과 함께 대화해 보십시오.

1)	나: 우체국에 갑니다.	친구: 꽃집에 갑니다.
2)	나:	친구:

듣고 말하기 111

전화번호를 듣고 말하기

- 기다리다
- 지금
- 사무실

1. 이것이 무엇입니까? 번호를 읽어 보십시오.

2. 다음을 듣고 물음에 답하십시오.

1) 무슨 이야기를 합니까?

2) 들은 내용과 같은 것을 고르십시오. (　　　)

① 자르갈 씨, 아멜리 씨는 은행에 있습니다.
② 자르갈 씨는 김 선생님의 사무실에 있습니다.
③ 김 선생님의 사무실은 6층에 있습니다.
④ 김 선생님 사무실의 전화번호는 987 – 3456번입니다.

3. 반 친구들에게 전화번호를 물어 보십시오.

이름	전화번호	이름	전화번호

읽고 말하기

학교생활을 설명하는 글을 읽고 말하기

1. 무엇을 합니까? 이야기해 보십시오.

- 친절하다
- 똑똑하다
- 열심히
- 수업
- 끝나다
- 그리고
- 매우
- 즐겁다

2. 다음을 읽고 물음에 답하십시오.

저는 인하대학교에 다닙니다.

저는 한국어를 배웁니다. 우리 교실은 405호입니다. 파하드 씨, 아멜리 씨는 우리 반 학생입니다. 파하드 씨는 친절합니다. 아멜리 씨는 똑똑합니다. 한국어는 재미있습니다. 우리는 열심히 한국어를 배웁니다. 수업이 끝납니다. 우리는 도서관에 갑니다. 공부를 합니다. 그리고 운동장에 갑니다. 운동을 합니다.

학교생활이 매우 즐겁습니다.

1) 무엇에 대한 이야기입니까? 알맞은 것을 고르십시오. (   )

① 학교생활 ② 자기소개 ③ 수업 ④ 운동

2) 이 글의 내용과 같은 것을 고르십시오. (   )

① 우리 교실은 4층에 있습니다.
② 아멜리 씨는 친절합니다.
③ 우리는 한국어를 가르칩니다.
④ 우리는 학교생활이 재미없습니다.

3. 여러분의 학교생활을 말해 보십시오.

쓰기

학교생활을 설명하는 글 쓰기

1. 학교생활을 설명하는 글을 써 보십시오.

1) 개요를 써 보십시오.

개요		
처음	어디에 다닙니까?	
가운데	무엇을 합니까?	
끝	학교생활이 어떻습니까?	

2) 위 개요를 바탕으로 글을 써 보십시오.

문화 이해하기

한국의 학교

1. 누구입니까? 이야기해 보십시오.

- 초등학교
- 중학교
- 고등학교
- 년

2. 다음을 읽고 이야기해 보십시오.

> 한국의 학교는 초등학교, 중학교, 고등학교, 대학교가 있습니다.
> 초등학교는 6년, 중학교는 3년, 고등학교는 3년 그리고 대학교는 4년을 공부합니다.

1) 한국의 학교는 어떻습니까?

2) 여러분 나라의 학교는 어떻습니까?

발음 112

'ㅚ': 외국, 참외, 회사
'ㅙ': 왜, 돼지
'ㅞ': 웨이터, 스웨덴, 스웨터

제4과 일상생활

준비하기 1
일상생활에 대해 말하기
N과/와 N, N하고 N
N에서

준비하기 2
달력을 보고 말하기
수②
N에②

말하기
일상생활을 묻고 답하기

듣고 말하기
일상생활 이야기를 듣고 말하기

읽고 말하기
한국에서의 일상생활에 대한 글을 읽고 말하기

쓰기
한국에서의 일상생활에 대한 글 쓰기

문화 이해하기
한국의 일상적인 인사말

4 일상생활

준비하기1 113

일상생활에 대해 말하기

- 숙제
- 축구
- 농구

왕 루: 자르갈 씨, 안녕하세요?

자르갈: 네, 왕루 씨, 안녕하세요? 어디에 갑니까?

왕 루: 저는 도서관에 갑니다.

자르갈: 왕루 씨는 도서관에서 무엇을 합니까?

왕 루: 저는 도서관에서 숙제를 합니다. 자르갈 씨는 어디에 갑니까?

자르갈: 저는 운동장에 갑니다. 운동장에서 축구하고 농구를 합니다.

1. N과/와 N, N하고 N

1) 가: 책상에 무엇이 있습니까?

   나: 책상에 책과 연필이 있습니다.

2) 가: 빙에 무엇이 있습니까?

   나: 제 방에 침대와 책상이 있습니다.

3) 가: 집에서 무엇을 합니까?

   나: 저는 집에서 한국어하고 영어를 공부합니다.

2. N에서

1) 가: 도시관에서 무엇을 합니까?

   나: 저는 도서관에서 공부를 합니다.

2) 가: 학교에서 무엇을 배웁니까?

   나: 학교에서 한국어를 배웁니다.

연습하기1

1. 다음과 같이 이야기해 보십시오.

교실
교실 / 칠판, 시계, 책상
가: 교실**에 무엇이 있습니까?**
나: 교실**에** 칠판**과** 시계**와** 책상**이 있습니다.**

1) 방
방 / 침대, 옷장, 컴퓨터
2) 책상 위
책상 위 / 책, 볼펜, 휴대전화
3) 가방 안
가방 안 / 한국어 책, 공책, 필통

2. 다음과 같이 이야기해 보십시오.

하다
예습, 복습 / 하다
가: **무엇을 합니까?**
나: 예습**하고** 복습**을 합니다.**

1) 사다
사과, 딸기 / 사다
2) 하다
빨래, 청소 / 하다
3) 읽다
신문, 잡지 / 읽다

- 예습
- 복습
- 사과
- 딸기
- 빨래
- 청소
- 신문

연습하기2

1. 다음과 같이 이야기해 보십시오.

집
집 / 숙제를 하다
가: 집**에서 무엇을 합니까?**
나: **저는** 집**에서** 숙제를 **합니다.**

1) 학교
학교 / 한국어를 공부하다
2) 도서관
도서관 / 책을 빌리다
3) 영화관
영화관 / 영화를 보다

- 빌리다
- 영화관
- 보내다
- 돈
- 찾다
- 노래방

2. 다음과 같이 이야기해 보십시오.

학교
학교
학교 / 한국어를 배우다
가: **어디에 갑니까?**
나: 학교**에 갑니다.**
가: 학교**에서 무엇을 합니까?**
나: 학교**에서** 한국어를 배**웁니다.**

1) 우체국
우체국
우체국 / 편지를 보내다
2) 은행
은행
은행 / 돈을 찾다
3) 노래방
노래방
노래방 / 노래를 부르다

준비하기2 114

- 수영
- 쉬다
- 야구
- 월요일
- 화요일
- 수요일
- 목요일
- 금요일
- 토요일
- 일요일

파하드: 아멜리 씨, 토요일에 무엇을 합니까?

아멜리: 저는 토요일에 수영을 배웁니다.

파하드: 일요일에도 수영을 배웁니까?

아멜리: 아니요, 일요일에는 집에서 쉽니다.
파하드 씨는 토요일에 무엇을 합니까?

파하드: 저는 토요일마다 공원에 갑니다. 공원에서 운동을 합니다.

아멜리: 무슨 운동을 합니까?

파하드: 저는 공원에서 친구와 같이 야구를 합니다.

표현

N마다
N와/과 같이(함께), N하고 같이(함께)
무슨 N: 무슨 운동을 합니까?

3. 수②

1) 가: 오늘이 몇 월 며칠입니까?

나: 오늘은 유월 십일입니다.

⊙ 날짜

월	1월	2월	3월	4월	5월	6월	7월	8월	9월	10월	11월	12월
	일월	이월	삼월	사월	오월	★유월	칠월	팔월	구월	★시월	십일월	십이월

일										
	1일	2일	3일	4일	5일	6일	7일	8일	9일	10일
	일일	이일	삼일	사일	오일	육일	칠일	팔일	구일	십일
	11일	12일	13일	14일	15일	16일	17일	18일	19일	20일
	십일일	십이일	십삼일	십사일	십오일	십육일	십칠일	십팔일	십구일	이십일
	21일	22일	23일	24일	25일	26일	27일	28일	29일	30일
	이십일일	이십이일	이십삼일	이십사일	이십오일	이십육일	이십칠일	이십팔일	이십구일	삼십일

⊙ 요일

평일					주말	
월요일	화요일	수요일	목요일	금요일	토요일	일요일

• 오늘
• 몇
• 월
• 며칠
• 일
• 날짜
• 요일
• 평일
• 주말
• 아침
• 일찍
• 일어나다
• 점심
• 저녁
• 오다

4. N에②

1) 아침에 일찍 일어납니다.

2) 점심에 밥을 먹습니다.

3) 저녁에 집에 옵니다.

연습하기3

- 생일
- 언제
- 내일
- 중간시험
- 수료식

1. 다음과 같이 이야기해 보십시오.

> **생일 / 언제**
> **제 생일 / 시월 이십일**
> 가: 생일**이** 언제**입니까?**
> 나: 제 생일**은** 시월 이십일**입니다.**

1) 오늘 / 몇 월 며칠
오늘 / ______________________

2) 내일 / 몇 월 며칠
내일 / ______________________

3) 생일 / 언제
제 생일 / ______________________

2. 다음과 같이 이야기해 보십시오.

> **오늘**
> **오늘 / 수요일**
> 가: 오늘**이 무슨 요일입니까?**
> 나: 오늘**은** 수요일**입니다.**

1) 생일
제 생일 / ______________________

2) 중간시험
중간시험 / ______________________

3) 수료식
수료식 / ______________________

연습하기4

1. 다음과 같이 이야기해 보십시오.

아침
집 / 우유와 빵 / 먹다
가: 아침**에 무엇을 합니까?**
나: 집**에서** 우유와 빵**을** 먹**습니다.**

1) 오전
마트 / 과일과 채소 / 사다
2) 오후
커피숍 / 로빈 씨와 아멜리 씨 / 만나다
3) 저녁
기숙사 / 청소와 빨래 / 하다

- 오전
- 마트
- 과일
- 채소
- 오후
- 기숙사
- 모레
- 수영장
- 매일
- 쇼핑

2. 다음과 같이 이야기해 보십시오.

오늘
오늘 / 우체국
가: 오늘 **어디에 갑니까?**
나: 오늘 우체국**에 갑니다.**

1) 내일 / 영화관
2) 모레 / 수영장
3) 매일 / 도서관

매일 = 날마다
매주 = 주마다
매달 = 달마다

3. 다음과 같이 이야기해 보십시오.

주말
주말 / 운동을 하다
가: 주말**에 무엇을 합니까?**
나: **저는** 주말**에** 운동을 **합니다.**

1) 화요일
화요일 / 친구를 만나다
2) 토요일
토요일 / 쇼핑을 하다
3) 평일
평일 / 한국어를 공부하다

말하기

일상생활을 묻고 답하기

• 산책

1. 배운 문법을 활용하여 〈보기〉와 같이 대화해 보십시오.

이름	언제	어디에서	무엇을	합니까?
왕루	토요일	수영장	수영	배우다
파하드		마트	빵과 우유	사다

보기

왕　루: 안녕하세요? (**파하드**) 씨, 어디에 갑니까?
파하드: 네, (**왕루**) 씨, 안녕하세요? 저는 지금 (**마트**)에 갑니다.
왕　루: (**마트**)에서 무엇을 합니까?
파하드: (**마트에서 빵과 우유를 삽니다**).
(**왕루**) 씨는 어디에 갑니까?
왕　루: 저는 (**수영장**)에 갑니다. (**수영장에서 수영을 배웁니다**).
파하드: (**수영장**)에 매일 갑니까?
왕　루: 아니요, (**토요일**)에만 갑니다.

2. 친구들과 함께 대화해 보십시오.

		언제	어디에서	무엇을	합니까?
1)	나	주말	커피숍	커피	마시다
	친구		공원	산책	하다
2)	나				
	친구				

듣고 말하기 115

일상생활 이야기를 듣고 말하기

1. 무엇을 합니까? 이야기해 보십시오.

- 아주
- 스포츠센터
- 태권도

2. 다음을 듣고 물음에 답하십시오.

1) 무슨 이야기를 합니까?

2) 들은 내용과 같은 것을 고르십시오. (　　)

① 아멜리 씨는 주말에 한국어를 배웁니다.
② 로빈 씨는 화요일과 수요일에 태권도를 배웁니다.
③ 로빈 씨는 토요일과 일요일에 도서관에서 책을 읽습니다.
④ 아멜리 씨는 평일에 집에서 청소와 빨래를 합니다.

3. 반 친구들에게 여러분의 일상생활을 이야기해 보십시오.

읽고 말하기

한국에서의 일상생활에 대한 글을 읽고 말하기

1. 무엇을 합니까? 이야기해 보십시오.

- 물건
- 같이
- 좋아하다

2. 다음을 읽고 물음에 답하십시오.

> 저는 한국에서 한국어를 공부합니다. 평일에 학교에서 한국어를 배웁니다. 한국어가 아주 재미있습니다. 월요일 오후에는 태권도를 배웁니다. 수요일에는 집을 청소합니다. 그리고 목요일에는 마트에서 물건을 삽니다.
>
> 토요일에는 친구와 같이 도서관에 갑니다. 도서관에서 책을 봅니다. 그리고 숙제도 합니다. 일요일에는 운동장에 갑니다. 운동장에서 친구와 같이 야구와 농구를 합니다. 저는 운동을 아주 좋아합니다

1) 무엇에 대한 이야기입니까? 알맞은 것을 고르십시오. (　　)

① 평일　　② 주말　　③ 날짜　　④ 일상생활

2) 이 글의 내용과 같은 것을 고르십시오. (　　)

① 이 사람은 월요일에 청소합니다.
② 이 사람은 목요일에 마트에 갑니다.
③ 이 사람은 수요일에 책을 빌립니다.
④ 이 사람은 주말에 친구와 같이 태권도를 합니다.

3. 여러분의 일상생활을 이야기해 보십시오.

쓰기

1. 한국에서의 일상생활에 대한 글을 써 보십시오.

1) 개요를 써 보십시오.

개요		
처음	평일에 무엇을 합니까?	
가운데	주말에 무엇을 합니까?	
끝	기분이 어떻습니까?	

2) 위 개요를 바탕으로 글을 써 보십시오.

문화 이해하기

- 인사말
- 맛있다
- 잘
- 안녕히
- 잠
- 자다
- 헤어지다

1. 무엇을 합니까? 이야기해 보십시오.

2. 다음을 읽고 이야기해 보십시오.

한국어에는 인사말이 많습니다.
처음 만납니다. 인사합니다.
"안녕하세요?", "안녕하십니까?", "안녕?"
밥을 먹습니다. 인사합니다.
"맛있게 드세요.", "잘 먹겠습니다.", "잘 먹었습니다."
아침에 일어납니다. 인사합니다.
"안녕히 주무셨어요?"
잠을 잡니다. 인사합니다.
"안녕히 주무세요."
선생님과 헤어집니다. 인사합니다.
"안녕히 계세요.", "안녕히 가세요."

1) 한국의 인사말은 여러분 나라와 다릅니까?

2) 여러분 나라에는 무슨 인사가 있습니까?

발음 116

ㅢ': 의사, 의자, 의미

유의, 주의, 회의

로빈 씨의 책, 아멜리 씨의 가방

희망, 희소식

제5과 하루 일과

준비하기 1
하루 일과를 설명하기
V-아/어/여요①, N이에/예요
수③

준비하기 2
시간 정보를 묻기
N부터 N까지
안 V / V-지 않다

말하기
하루의 일과를 묻고 답하기

듣고 말하기
수업 정보를 듣고 말하기

읽고 말하기
하루 일과를 읽고 말하기

쓰기
하루 일과를 소개하는 글 쓰기

문화 이해하기
하루를 정리하기

Neo Korea-esque MJK

5 하루 일과

준비하기1 117

하루 일과를 설명하기

- 시
- 분
- 하루 일과

자르갈: 아멜리 씨, 몇 시에 학교에 와요?
아멜리: 저는 8시 30분에 와요.
자르갈: 한국어 수업은 몇 시에 끝나요?
아멜리: 1시에 끝나요.
자르갈: 그리고 무엇을 해요?
아멜리: 도서관에 가요. 그리고 숙제를 해요.
자르갈: 몇 시에 집에 가요?
아멜리: 오후 5시에 집에 가요.

1. V-아/어/여요①, N이에/예요

1) 가: 무엇을 해요?
   나: 책을 읽어요.
2) 가: 운동장이 어때요?
   나: 운동장이 넓어요.
3) 가: 오늘이 무슨 요일이에요?
   나: 오늘은 월요일이에요.

- 정각
- 반
- 전

2. 수③

1) 9:00 정각 아홉 시입니다.
2) 10:43 열 시 사십삼 분이에요.
3) 5:30 나섯 시 빈이에요.
4) 2:55 세 시 오 분 전입니다.

1	2	3	4	5	6	7	8	9	10	11	12
한 시	**두** 시	**세** 시	**네** 시	다섯 시	여섯 시	일곱 시	여덟 시	아홉 시	열 시	**열한** 시	**열두** 시
일 분	이 분	삼 분	사 분	오 분	육 분	칠 분	팔 분	구 분	십 분	십일 분	십이 분

연습하기1

1. 다음과 같이 이야기해 보십시오.

- 받다
- 자전거
- 날씨
- 수박
- 소설책

빵 / 먹다
가: **뭐 해요?**
나: 빵**을** 먹**어요.**

1) 전화 / 받다
2) 소설책 / 읽다
3) 자전거 / 타다
4) 영화 / 보다

2. 다음과 같이 이야기해 보십시오.

음식
음식 / 맛있다
가: 음식**이 어때요?**
나: 음식**이** 맛있**어요.**

1) 날씨
   날씨 / 좋다
2) 운동장
   운동장 / 넓다
3) 방
   방 / 깨끗하다

3. 다음과 같이 이야기해 보십시오.

수박
가: **이것이 뭐예요?**
나: **그것은** 수박**이에요.**

1) 소설책
2) 신문
3) 편지

연습하기2

1. 다음과 같이 이야기해 보십시오.

> **2:00**
> 가: **몇 시입니까?**
> 나: **정각** 두 시**입니다.**

1) 1:00
2) 3:00
3) 5:00
4) 12:00 a.m.
5) 12:00 p.m.

- 자정
- 정오

2. 다음과 같이 이야기해 보십시오.

> **6:37 a.m.**
> 가: **지금 몇 시예요?**
> 나: 오전 여섯 시 삼십칠 분**이에요.**

1) 4:27 p.m.
2) 12:46 p.m.
3) 6:52 a.m.
4) 9:15 p.m.
5) 10:30 a.m.

3. 다음과 같이 이야기해 보십시오.

> **12:45**
> 가: **몇 시 몇 분이에요?**
> 나: 열두 시 사십 오 분**이에요.** / 한 시 십오 분 전**이에요.**

1) 4:55
2) 1:50
3) 10:45
4) 8:30
5) 5:30

준비하기2 118

- 시작하다
- 다음 주
- 직원

왕루: 수영 수업이 언제부터 시작해요?

직원: 수영 수업은 다음 주 월요일부터 시작합니다.

왕루: 몇 시부터 몇 시까지 해요?

직원: 오후 7시부터 7시 50분까지 합니다.

왕루: 토요일에도 해요?

직원: 아니요, 주말에는 안 합니다.

3. N부터 N까지

1) 가: 한국어 수업은 몇 시부터 몇 시까지 해요?
   나: 오전 9시부터 오후 1시까지 해요.
2) 가: 언제 수영을 해요?
   나: 월요일부터 금요일까지 해요.

4. 안 V / V-지 않다

1) 가: 오후에 학교에 가요?
   나: 아니요, 오후에 학교에 안 가요.
2) 가: 교실이 넓어요?
   나: 아니요, 넓지 않아요.

연습하기3

1. 다음과 같이 이야기해 보십시오.

- 일하다
- 시험
- 보다
- 스키
- 테니스
- 치다

점심을 먹다
1:30 ~ 2:30 / 점심을 먹다
가: **몇 시부터 몇 시까지** 점심을 먹**어요?**
나: 1시 30분**부터** 2시 30분**까지** 점심을 먹**어요.**

1) 책을 읽다
2:30 ~ 4:00 / 책을 읽다
2) 숙제하다
4:15 ~ 6:45 / 숙제하다
3) 영화를 보다
7:20 ~ 8:00 / 영화를 보다
4) 일하다
오전 9:00 ~ 오후 5:40 / 일하다

2. 다음과 같이 이야기해 보십시오.

한국어 시험을 보다
목요일 9:00 ~ 11:30 / 한국어 시험을 보다
가: **언제** 한국어 시험을 봐**요?**
나: 목요일 9시**부터** 11시 반**까지** 한국어 시험을 봐**요.**

1) 스키를 타다
1:10 ~ 5:30 / 스키를 타다
2) 테니스를 치다
월요일 ~ 금요일 / 테니스를 치다
3) 농구를 하다
9:00 a.m. ~ 11:00 a.m. / 농구를 하다

연습하기4

1. 다음과 같이 이야기해 보십시오.

책을 읽다
가: 책을 읽**어요?**
나: **아니요,** 책을 **안** 읽**어요.** / **아니요,** 책을 읽**지 않아요.**

1) 점심을 먹다
2) 수영을 배우다
3) 주스를 마시다
4) 과일을 좋아하다
5) 요리하다
6) 전화하다

- 주스
- 요리하다
- 옷
- 멀다
- 비싸다
- 편하다
- 착하다
- 조용하다

2. 다음과 같이 이야기해 보십시오.

방이 좁다
가: 방이 좁**아요?**
나: **아니요,** 방이 **안** 좁**아요.** / **아니요,** 방이 좁**지 않아요.**

1) 옷이 작다
2) 숙제가 많다
3) 학교가 멀다
4) 가방이 비싸다
5) 방이 깨끗하다
6) 친구가 착하다
7) 신발이 편하다
8) 기숙사가 조용하다

말하기

하루의 일과를 묻고 답하기

1. 배운 문법을 활용하여 〈보기〉와 같이 대화해 보십시오.

파하드 씨의 하루	
시간	무엇을 합니까?
7:00	일어나요.
7:30 ~ 8:30	아침을 먹어요.
9:00 ~ 1:00	학교에서 한국어를 배워요.
1:00 ~ 2:00	점심을 먹어요.
2:00 ~ 4:00	운동장에서 운동을 해요.
4:00 ~ 7:00	도서관에서 공부해요.

보기

흐 엉: 파하드 씨, 몇 시에 (**일어나요**)?
파하드: 저는 (**7시에 일어나요**).
흐 엉: 아침에 무엇을 해요?
파하드: 저는 (**7시 반에 아침을 먹어요**). 그리고 (**학교에 가요**).
흐 엉: (**한국어 수업**)이 몇 시부터 몇 시까지 해요?
파하드 : (**한국어 수업**)은 (**9시부터 1시까지 해요**).
흐 엉 : (**언제 점심을 먹어요**)?
파하드 : (**1시부터 2시까지 점심을 먹어요**).
흐 엉 : 그리고 무엇을 해요?
파하드 : (**2시부터 4시까지 운동장에서 운동을 해요**).
그리고 (**4시부터 7시까지 도서관에서 공부해요**).

2. 친구들과 함께 대화해 보십시오.

나의 하루	
시간	무엇을 합니까?

듣고 말하기 119 수업 정보를 듣고 말하기

1. 무엇을 합니까? 이야기해 보십시오.

- 요가
- 배드민턴
- 탁구

2. 다음을 듣고 물음에 답하십시오.

1) 무슨 이야기를 합니까?

2) 들은 내용과 같은 것을 고르십시오. (　　　)

① 요가 수업은 주말에 합니다.
② 배드민턴 수업은 월요일과 수요일에 합니다.
③ 요가 수업은 305호에서 합니다.
④ 배드민턴 수업은 오후 5시에 시작합니다.

3. 프로그램을 보고 친구와 대화를 해 보십시오.

〈인하 스포츠센터 프로그램〉

수업	시간		장소
태권도	월, 수, 금	오전 8:00 ~ 8:50	4층
탁구	화, 목	오전 11:00 ~ 11:50	3층
테니스	월, 수, 금	오후 3:20 ~ 4:10	2층
수영	월 ~ 금	오후 6:30 ~ 7:20	1층

읽고 말하기

하루 일과를 읽고 말하기

1. 무엇을 합니까? 이야기해 보십시오.

2. 다음을 읽고 물음에 답하십시오.

저는 날마다 아침 7시에 일어나요. 세수를 해요. 그리고 아침을 먹어요. 8시 반에 학교에 가요. 한국어 수업은 9시에 시작해요. 10시 50분부터 11시 10분까지 쉬어요. 친구는 커피를 마셔요. 하지만 저는 커피를 마시지 않아요. 저는 우유를 마셔요. 1시에 수업이 끝나요. 학생 식당에서 점심을 먹어요. 5시까지 도서관에서 숙제를 해요. 5시부터 운동장에서 친구와 농구를 해요. 8시에 집에서 저녁을 먹어요. 그리고 한국어 수업을 복습해요. 11시 반에 잠을 자요.

- 세수
- 하지만

1) 무엇에 대한 이야기입니까? 알맞은 것을 고르십시오. (　　　)

① 하루 일과　② 일상생활　③ 주말　④ 시간

2) 이 사람의 하루 일과를 순서대로 번호를 쓰십시오.

일과	순서
운동장에서 농구를 해요.	
도서관에서 숙제를 해요.	
한국어 수업을 들어요.	
집에서 한국어 수업을 복습해요.	
아침에 일어나요.	①

3) 이 글의 내용과 같은 것을 고르십시오. (　　)

① 이 사람은 오전 6시에 일어납니다.
② 이 사람은 오전 10시부터 커피를 마십니다.
③ 이 사람은 운동장에서 운동을 합니다.
④ 이 사람은 밤 11시에 잠을 잡니다.

3. 여러분의 하루 일과를 친구에게 말해 보십시오.

쓰기

1. 하루 일과를 소개하는 글을 써 보십시오.

1) 개요를 써 보십시오.

개요		
처음	오전에 무엇을 합니까?	
가운데	오후에 무엇을 합니까?	
끝	저녁에 무엇을 합니까?	

2) 위 개요를 바탕으로 글을 써 보십시오.

문화 이해하기

하루를 정리하기

1. 이것이 무엇입니까? 이야기해 보십시오.

〈오늘 하루〉

10 월 5 일

☐	1. 은행에 가요.
☑	2. 운동을 해요.
☑	3. 단어를 외워요.
☐	4. 2시에 병원에 가요.
☐	5. 3시에 도서관에서 친구를 만나요.

- 하루
- 계획하다
- 외우다
- 병원
- 밤
- 생각하다

2. 다음을 읽고 이야기해 보십시오.

저는 아침에 일어납니다. 오늘 하루를 계획합니다.

"은행에 가요."
"운동을 해요."
"단어를 외워요."
"2시에 병원에 가요."
"3시에 도서관에서 친구를 만나요."

밤에 오늘 하루를 생각합니다. 그리고 내일을 생각합니다.

1) 이 사람은 무엇을 씁니까?

2) 오늘 여러분의 계획은 무엇입니까? 이야기해 보십시오.

발음 120

받침 'ㄴ': 간, 손, 안, 돈
간을, 손이, 안과, 돈도

제6과 주말

준비하기 1
지난 일에 대해 말하기
V-았/었/였-, N이었/였-
V-고①, N(이)고

준비하기 2
경험을 말하기
AV-아/어/여 보다
으 동사

말하기
과거에 경험한 일을 묻고 답하기

듣고 말하기
한국에서의 경험을 듣고 말하기

읽고 말하기
일기를 읽고 말하기

쓰기
일기를 쓰기

문화 이해하기
한국의 명절

6 주말

준비하기1 121

지난 일에 대해 말하기

왕 루: 자르갈 씨, 주말에 무엇을 했어요?

자르갈: 마트에 갔어요.

왕 루: 마트에서 무엇을 샀어요?

자르갈: 사과도 사고 딸기도 샀어요. 사과와 딸기가 싸고 맛있었어요.
왕루 씨는 주말에 뭐 했어요?

왕 루: 저는 주말에 집에서 청소도 하고 빨래도 했어요.

1. V-았/었/였-, N이었/였-

1) 가: 어제 무엇을 했어요?
 나: 커피숍에서 친구를 만났어요.
2) 가: 한국어 수업이 어땠어요?
 나: 한국어 수업이 재미있었어요.
3) 가: 주말에 쇼핑했어요?
 나: 아니요, 쇼핑을 안 했어요.
4) 가: 로빈 씨는 작년에 학생이었어요?
 나: 아니요, 저는 회사원이었어요.

• 작년

2. V-고①, N(이)고

1) 가: 지금 무엇을 먹어요?
 나: 사과도 먹고 딸기도 먹어요.
2) 가: 한국어 수업이 어때요?
 나: 한국어 수업은 쉽고 재미있어요.
3) 가: 어제 저녁에 커피숍에서 무엇을 했어요?
 나: 저는 커피를 마시고 동생은 우유를 마셨어요.
4) 가: 친구는 학생이에요?
 나: 제 친구는 학생이고 회사원이에요.

연습하기1

• 방학
• 산책하다
• 음식
• 좋다
• 부산
• 여행

1. 다음과 같이 이야기해 보십시오.

주말
주말 / 친구를 만나다
가: 주말**에 무엇을 했어요?**
나: 주말**에** 친구를 만**났어요.**

1) 방학
방학 / 부산에 가다
2) 일요일
일요일 / 집에서 쉬다
3) 어제 오후
어제 오후 / 공원에서 산책하다
4) 오늘 아침
오늘 아침 / 요리를 하다

2. 다음과 같이 이야기해 보십시오.

한국 음식 / 맛있다
네 / 한국 음식 / 맛있다
가: 한국 음식**이** 맛있**었어요?**
나: 네, 한국 음식**이** 맛있**었어요.**

1) 기숙사 / 좋다
네 / 기숙사 / 좋다
2) 부산 여행 / 재미있다
네 / 부산 여행 / 재미있다
3) 운동장 / 넓다
아니요 / 운동장 / 안 넓다
4) 공원 / 조용하다
아니요 / 공원 / 조용하지 않다

연습하기2

1. 다음과 같이 이야기해 보십시오.

> **흐엉 씨 / 소설책도 읽다 / 잡지도 읽다**
> 가: 흐엉 씨**가** 소설책도 읽**고** 잡지도 읽**어요.**

1) 오위노 씨 / 야구도 좋아하다 / 축구도 좋아하다
2) 우리 학교 / 넓다 / 깨끗하다
3) 파하드 씨 / 빨래도 했다 / 청소도 했다
4) 아멜리 씨 / 프랑스 사람이다 / 학생이다

2. 다음과 같이 이야기해 보십시오.

> **왕루 씨 / 청소를 하다 / 언니 / 노래를 하다**
> 가: 왕루 씨**는** 청소를 하**고** 언니**는** 노래를 해**요.**

1) 로빈 씨 / 빵을 먹다 / 오위노 씨 / 밥을 먹다
2) 흐엉 씨 / 착하다 / 아멜리 씨 / 친절하다
3) 최수지 씨 / 영화를 봤다 / 오위노 씨 / 운동을 했다
4) 자르갈 씨 / 몽골 사람이다 / 파하드 씨 / 사우디 사람이다

- 노래하다
- 운동

준비하기2 122

- 한옥
- 마을
- 구경하다
- 이야기하다
- 그러면
- 인사동
- 한복
- 입다
- 예쁘다

자르갈: 아멜리 씨는 지난 주말에 무엇을 했어요?

아멜리: 저는 지난 주말에 언니와 같이 한옥 마을에 갔어요.
한옥 마을에서 한옥도 구경하고 한국 사람들과 이야기도 했어요.
자르갈 씨는 한옥 마을에 가 봤어요?

자르갈: 아니요, 한옥 마을에 안 가 봤어요.

아멜리: 그러면 지난 주말에 뭐 했어요?

자르갈: 저는 지난 주말에 친구와 같이 인사동에 갔어요.
인사동에서 한복을 입어 봤어요. 한복이 아주 예뻤어요.

표현

가족: 어머니, 아버지, 형, 누나, 오빠, 언니, 동생(남동생, 여동생)

시간: 지난주, 이번 주, 다음 주 / 지난달, 이번 달, 다음 달 /
지난해(작년), 이번 해(올해), 다음 해(내년) / 지난 시간, 이번 시간, 다음 시간

3. AV-아/어/여 보다

1) 가: 한국 음식을 먹어 봤어요?
   나: 네, 한국 음식을 먹어 봤어요.
2) 가: 부산에 가 봤어요?
   나: 아니요, 부산에 안 가 봤어요.
3) 가: 한국에서 무엇을 해 봤어요?
   나: 한국 음식을 만들어 봤어요.

• 끄다

4. ㅡ 동사

1) 가: 컴퓨터를 껐어요?
   나: 네, 컴퓨터를 껐어요.
2) 가: 한복이 어때요?
   나: 한복이 예뻐요.

연습하기3

1. 다음과 같이 이야기해 보십시오.

- 비빔밥
- 여행하다
- 만들다

인사동에 가다
네, 인사동에 가다
가: 인사동에 가 **봤어요?**
나: 네, 인사동에 가 **봤어요.**

1) 공원에서 자전거를 타다
   네, 공원에서 자전거를 타다
2) 영어를 배우다
   아니요, 영어를 안 배우다

2. 다음과 같이 이야기해 보십시오.

언제 비빔밥을 먹다
지난주에 비빔밥을 먹다
가: 언제 비빔밥을 먹**어 봤어요?**
나: 지난주에 비빔밥을 먹**어 봤어요.**

1) 누구와 테니스를 치다
   친구와 테니스를 치다
2) 어디를 여행하다
   ________________을/를 여행하다
3) 무슨 음식을 만들다
   ________________을/를 만들다

연습하기4

1. 다음과 같이 이야기해 보십시오.

친구를 만나다 / 기쁘다

가: **지금 무엇을 해요?**
나: **고향** 친구를 만나**요. 그래서** 기뻐**요.**

1) 배고프다 / 식당에서 밥을 먹다
2) 머리가 아프다 / 약국에서 약을 사다
3) 숙제를 하다 / 바쁘다
4) 편지를 받았다 / 답장을 쓰다

2. 다음과 같이 이야기해 보십시오.

한복
한복 / 예쁘다 / 싸다

가: 한복**이 어땠어요?**
나: 한복**이** 예쁘**고 쌌어요.**

1) 학교
학교 / 크다 / 깨끗하다
2) 회사 일
회사 일 / 바쁘다 / 힘들다
3) 강아지
강아지 / 귀엽다 / 눈이 크다

- 기쁘다
- 그래서
- 배고프다
- 아프다
- 약
- 바쁘다
- 답장
- 힘들다
- 강아지
- 귀엽다
- 눈

말하기

과거에 경험한 일을 묻고 답하기

- 박물관
- 전통
- 제주도
- 한라산
- 꽃
- 경복궁
- 사진
- 찍다
- 춘천
- 배
- 닭갈비
- 공기
- 시원하다

1. 배운 문법을 활용하여 〈보기〉와 같이 대화해 보십시오.

이름	언제 갔어요?	누구와 갔어요?	어디에 갔어요?	무엇을 했어요?	어땠어요?
흐엉	지난 주말	언니	박물관	전통 물건도 구경하다 한국 사람들과 이야기도 하다	사람들이 친절하다 재미있다
왕루	지난 주말	친구	제주도	제주도 음식도 먹다 한라산에도 가다	꽃이 많다 예쁘다

보기

왕루: (**흐엉**) 씨, (**지난 주말**)에 뭐 했어요?
흐엉: 저는 (**지난 주말**)에 (**언니**)하고 같이 (**박물관**)에 갔어요.
(**박물관**)에서 (**전통 물건도 구경하**)고 (**사람들과 이야기도 해 봤어요**).
(**사람들이 친절하**)고 아주 (**재미있었어요**).
(**왕루**) 씨는 (**지난 주말**)에 뭐 했어요?
왕루: 저는 (**지난 주말**)에 (**친구**)와 같이 (**제주도**)에 갔어요.
(**제주도**)에서 (**제주도 음식도 먹**)고 (**한라산에도 가 봤어요**).
(**꽃이 많**)고 아주 (**예뻤어요**).

2. 친구들과 함께 대화해 보십시오.

	이름	언제 갔어요?	누구와 갔어요?	어디에 갔어요?	무엇을 했어요?	어땠어요?
1)	나	지난 방학	누나	경복궁	사진도 찍다 한복도 입다	사람들이 많다 재미있다
	친구	지난 방학	여동생	춘천	배도 타다 닭갈비도 먹다	공기가 좋다 시원하다
2)	나					
	친구					

듣고 말하기 123

한국에서의 경험을 듣고 말하기

1. 무엇을 합니까? 이야기해 보십시오.

• 경주
• 시내
• 동생
• 맑다
• 참

2. 다음을 듣고 물음에 답하십시오.

1) 무슨 이야기를 합니까?

2) 들은 내용과 같은 것을 고르십시오. (　　)

① 왕루 씨는 주말에 춘천에 가 봤습니다.
② 파하드 씨는 경주에서 자전거를 타 봤습니다.
③ 파하드 씨는 동생하고 같이 춘천에 갔습니다.
④ 왕루 씨와 파하드 씨는 같이 여행을 했습니다.

3. 친구들에게 한국에서의 경험을 이야기해 보십시오.

읽고 말하기

일기를 읽고 말하기

- 차이나타운
- 바람
- 한식당
- 불고기
- 정말

1. 어디입니까? 이야기해 보십시오.

2. 다음을 읽고 물음에 답하십시오

7월 8일 토요일

어제 친구가 고향에서 왔습니다. 그래서 오늘 오전 10시부터 친구와 함께 차이나타운에도 가고 공원에도 갔습니다.

1시에 점심을 먹었습니다. 그리고 바다에 갔습니다. 우리는 바다에서 사진도 찍고 배도 탔습니다. 바람이 시원하고 좋았습니다. 그리고 배에서 한국 사람들과 이야기도 해 봤습니다.

저녁에 한식당에서 한국 음식을 먹었습니다. 친구는 불고기를 먹고 저는 비빔밥을 먹었습니다. 음식이 정말 맛있었습니다.

1) 무엇에 대한 이야기입니까? 알맞은 것을 고르십시오. (　　)

① 하루 이야기　　② 가족 이야기　　③ 음식 이야기　　④ 친구 이야기

2) 이 글의 내용과 같은 것을 고르십시오. (　　)

① 오늘 친구가 한국에 왔습니다.
② 저와 친구는 차이나타운을 구경했습니다.
③ 저와 친구는 식당에서 사진을 찍었습니다.
④ 친구는 불고기와 비빔밥을 먹었습니다.

3. 친구들에게 여러분의 주말 이야기를 이야기해 보십시오.

쓰기

1. 일기를 써 보십시오.

1) 개요를 써 보십시오.

개요		
처음	지난 주말에 어디에 갔습니까?	
가운데	거기에서 누구와, 무엇을 했습니까?	
끝	기분이 어땠습니까?	

2) 위 개요를 바탕으로 글을 써 보십시오.

문화 이해하기

1. 이것이 무엇입니까? 이야기해 보십시오.

2. 다음을 읽고 물음에 답하십시오.

설과 추석은 한국의 명절입니다.

설과 추석에 가족과 함께 시간을 보냅니다. 설은 음력 1월 1일이고 추석은 음력 8월 15일입니다. 설에는 떡국을 먹고 윷놀이를 합니다. 추석에는 송편을 먹고 성묘를 합니다.

한국 사람들은 명절을 좋아합니다.

- 설
- 추석
- 명절
- 시간
- 음력
- 떡국
- 윷놀이
- 송편
- 성묘

1) 한국 사람들은 명절에 무엇을 합니까?

2) 여러분 나라의 사람들은 명절에 무엇을 합니까? 이야기해 보십시오.

표현

N(시간)을/를 보내다: 가족과 함께 시간을 보냅니다.

발음 124

받침 'ㄹ': 말, 글, 길, 쌀, 가을

말이, 글은, 길에, 쌀은, 가을에

제7과 날씨와 계절

준비하기 1
날씨와 계절을 표현하기
N은/는②
ㅂ 동사
AV-아/어/여서①

준비하기 2
계절 활동을 말하기
N(으)로①
AV-(으)러 가다/오다

말하기
한국의 계절에 대해 묻고 답하기

듣고 말하기
날씨와 여행 이야기를 듣고 말하기

읽고 말하기
좋아하는 계절에 대한 글을 읽고 말하기

쓰기
좋아하는 계절에 대한 글 쓰기

문화 이해하기
한국의 계절과 여행

7 날씨와 계절

준비하기1 125

날씨와 계절을 표현하기

- 춥다
- 겨울
- 항상
- 덥다
- 사계절
- 봄
- 따뜻하다
- 여름
- 가을
- 계절
- 산
- 아름답다
- 등산

흐 엉: 지성 씨, 요즘 한국의 날씨가 너무 추워요.

박지성: 네, 지금 한국은 겨울이에요. 그래서 날씨가 추워요.

흐 엉: 제 고향은 항상 더워요.

박지성: 그래요? 한국에는 사계절이 있어요.

흐 엉: 사계절이요? 사계절의 날씨가 어때요?

박지성: 봄은 따뜻하고 여름은 덥고 가을은 시원하고 겨울은 추워요.

흐 엉: 지성 씨는 무슨 계절을 좋아해요?

박지성: 저는 가을을 좋아해요. 가을 산이 아주 아름다워요.
그래서 저는 가을에 산에 가서 등산을 해요.

표현

N이/가 어때요?: 날씨가 어때요?

1. N은/는②

1) 봄은 따뜻하고 가을은 시원합니다.
2) 여름은 덥고 겨울은 춥습니다.
3) 저는 책을 읽고 동생은 텔레비전을 봐요.

2. ㅂ 동사

1) 여름은 날씨가 더워요.
2) 겨울은 날씨가 추워요.
3) 제 방이 좁아요.

3. AV-아/어/여서①

1) 가: 여름에 무엇을 합니까?
   나: 저는 바다에 가서 수영을 합니다.
2) 가: 이번 주말에 뭐 해요?
   나: 친구를 만나서 밥을 먹어요.
3) 가: 어제 뭐 했어요?
   나: 도서관에서 책을 빌려서 집에서 읽었어요.

연습하기1

1. 다음과 같이 이야기해 보십시오.

• 화장하다

왕루 씨 / 자르갈 씨
왕루 씨 / 밥을 먹다 / 자르갈 씨 / 책을 읽다
가: 왕루 씨**와** 자르갈 씨**는 무엇을 해요?**
나: 왕루 씨**는** 밥을 먹**고** 자르갈 씨**는** 책을 읽**어요.**

1) 파하드 씨 / 아멜리 씨
파하드 씨 / 쇼핑하다 / 아멜리 씨 / 영화를 보다
2) 오위노 씨 / 흐엉 씨
오위노 씨 / 운동하다 / 흐엉 씨 / 편지를 쓰다
3) 형 / 누나
형 / 요리하다 / 누나 / 화장하다

2. 친구와 같이 이야기해 보십시오.

1) 가: 사과와 수박이 어때요?
나: ______________________________.

2) 가: 교실과 운동장이 어때요?
나: ______________________________.

연습하기2

1. 다음과 같이 이야기해 보십시오.

오늘 날씨 / 어때요?
오늘 날씨 / 덥다
가: 오늘 날씨**가** 어때요?
나: 오늘 날씨**가** 더워**요.**

- 맵다
- 무겁다
- 돕다

1) 비빔밥 / 어때요?
비빔밥 / 조금 맵다
2) 가방 / 어때요?
가방 / 무겁다
3) 꽃 / 어때요?
꽃 / 아름답다
4) 지금 / 뭐 해요?
지금 / 친구를 돕다
5) 지금 / 뭐 해요?
지금 / 옷을 입다

연습하기3

- 백화점
- 구두
- 남자
- 질문하다

1. 다음과 같이 이야기해 보십시오.

바다 / 바다 / 수영을 하다
가: **어디에 가요?**
나: **저**는 바다**에 가요.** 바다**에 가서** 수영을 해**요.**

1) 백화점 / 백화점 / 구두를 사다
2) 제주도 / 제주도 / 여행을 하다
3) 우체국 / 우체국 / 편지를 보내다

2. 다음과 같이 이야기해 보십시오.

주말
주말 / 친구를 만나다 / 영화를 봤다
가: 주말**에 무엇을 했어요?**
나: **저는** 주말**에** 친구를 만나**서 같이** 영화를 봤**어요.**

1) 월요일
 월요일 / 남자 친구를 만나다 / 옷을 샀다
2) 어제 저녁
 어제 저녁 / 동생을 만나다 / 이야기를 했다
3) 그저께
 그저께 / 형을 만나다 / 축구를 했다

3. 다음과 같이 이야기해 보십시오.

고향 음식을 만들다 / 친구들과 함께 먹었다
가: **어제 뭐 했어요?**
나: 고향 음식을 만들**어서** 친구들과 함께 먹었**어요.**

1) 책을 사다 / 읽었다
2) 편지를 쓰다 / 고향에 보냈다

준비하기2 126

계절 활동을 말하기

- 자주
- 지난겨울
- 스키장

파하드: 아멜리 씨는 무슨 계절을 좋아해요?

아멜리: 저는 여름을 좋아해요.

파하드: 여름에 무엇을 해요?

아멜리: 저는 수영을 좋아해요.
그래서 여름에 바다에 가서 수영을 자주 해요.
파하드 씨는 무슨 계절을 좋아해요?

파하드: 저는 겨울을 좋아해요. 지난겨울에 스키장에 처음 가 봤어요.
스키가 아주 재미있었어요. 아멜리 씨도 스키를 타 봤어요?

아멜리: 네, 저도 스키를 타 봤어요. 저도 스키를 좋아해요.

파하드: 그러면 이번 겨울에 같이 스키장으로 스키를 타러 가요.

4. N(으)로①

1) 가: 봄에 어디로 여행을 갑니까?
   나: 산으로 여행을 갑니다.
2) 가: 한국어 교실이 어디에 있어요?
   나: 오른쪽으로 가요. 그러면 한국어 교실이 있어요.

5. AV-(으)러 가다/오다

1) 가: 어디에 가요?
   나: 밥을 먹으러 식당에 가요.
2) 가: 왜 도서관에 왔어요?
   나: 책을 빌리러 도서관에 왔어요.
3) 가: 주말에 뭐 했어요?
   나: 산에 등산하러 갔어요.

연습하기4

1. 다음과 같이 이야기해 보십시오.

• 지하철역
• 바다

학교
가: **어디로 가요?**
나: 학교**로 가요.**

1) 기숙사
2) 지하철역
3) 교실
4) 사무실

2. 다음과 같이 이야기해 보십시오.

도서관
오른쪽 / 도서관
가: 도서관**이 어디에 있어요?**
나: 오른쪽**으로 가요. 그러면** 도서관**이 있어요.**

1) 운동장
왼쪽 / 운동장
2) 후문
앞 / 후문
3) 우체국
아래 / 우체국

3. 다음과 같이 이야기해 보십시오.

산 / 산 / 꽃을 구경하다
가: **어디로 여행을 가요?**
나: 산**으로 가요.** 산**에서** 꽃을 구경해**요.**

1) 스키장 / 스키장 / 스키를 타다
2) 바다 / 바다 / 배를 타다
3) 제주도 / 제주도 / 등산하다

연습하기5

1. 다음과 같이 이야기해 보십시오.

• 단풍
• 모자

봄
공원 / 꽃을 구경하다
가: 봄**에 뭐 해요?**
나: 공원**으로** 꽃을 구경하**러 가요.**

1) 여름
   바다 / 수영하다
2) 가을
   산 / 단풍을 구경하다
3) 겨울
   스키장 / 스키를 타다
4) 주말
   백화점 / 구두를 사다

2. 다음과 같이 이야기해 보십시오.

백화점에 가다
모자를 사다 / 백화점에 가다
가: **왜** 백화점에 가**요?**
나: 모자를 사**러** 백화점에 가**요.**

1) 운동장에 가다
   축구하다 / 운동장에 가다
2) 도서관에 갔다
   숙제하다 / 도서관에 갔다
3) 박물관에 왔다
   전통 물건을 구경하다 / 박물관에 왔다
4) 학교에 다니다
   한국어를 배우다 / 학교에 다니다

말하기

한국의 계절에 대해 묻고 답하기

1. 다음 그림을 보고 배운 문법을 활용하여 〈보기〉와 같이 대화해 보십시오.

보기

왕 루: 한국의 (**봄**)은 어때요?
최수지: 한국의 (**봄**)은 (**따뜻해요**). 그리고 (**꽃도 많이 있어요**).
왕 루: 한국 사람들은 (**봄**)에 어디에 많이 가요?
최수지: 한국 사람들은 (**봄**)에 (**공원으로 많이 가요**).
왕 루: (**공원**)에 왜 가요?
최수지: (**공원에 꽃이 많이 있어요**). 그래서 (**꽃을 보러 공원으로 가요**).
(**공원에 가**)서 (**꽃도 구경하고 사진도 찍어요**).

2. 친구들과 함께 대화해 보십시오.

	무슨 계절입니까?	그 계절이 어떻습니까?	그 계절에 무엇을 합니까?
나			
친구			

듣고 말하기 127

- 흐리다
- 시장
- 회

1. 무엇입니까? 이야기해 보십시오.

2. 다음을 듣고 물음에 답하십시오.

1) 무슨 이야기를 합니까?

2) 들은 내용과 같은 것을 고르십시오. (　　　)

① 여자는 부산에 가 봤습니다.
② 남자는 작년 봄에 부산에 갔습니다.
③ 남자는 부산에서 시장을 구경했습니다.
④ 남자는 회를 안 먹어 봤습니다.

3. 반 친구들에게 여러분의 여행 이야기를 해 보십시오.

읽고 말하기

좋아하는 계절에 대한 글을 읽고 말하기

1. 무엇을 합니까? 이야기해 보십시오.

- 무척
- 설악산
- 또
- 요즘

2. 다음을 읽고 물음에 답하십시오.

> 한국의 가을은 날씨가 맑고 바람도 시원합니다. 그래서 가을에 등산도 하고 공원에도 자주 갑니다.
>
> 저는 작년에 처음 등산을 했습니다. 친구들과 함께 설악산에 갔습니다. 설악산 등산은 무척 힘들었습니다. 하지만 설악산은 공기가 맑고 단풍이 정말 아름다웠습니다. 그래서 지금은 등산을 아주 좋아합니다. 또 작년 가을에 친구들과 같이 공원에도 자주 갔습니다. 공원에 가서 산책도 하고 자전거도 탔습니다. 정말 재미있었습니다. 그래서 요즘도 가을에 자전거를 (㉠)공원에 자주 갑니다.
>
> 저는 한국의 가을을 좋아합니다.

1) 무엇에 대한 이야기입니까? 알맞은 것을 고르십시오. (　　)

① 한국의 산　　② 한국의 가을　　③ 한국의 공원　　④ 한국의 단풍

2) ㉠에 알맞은 것을 고르십시오. (　　)

① 타러　　② 타서　　③ 빌리러　　④ 빌려서

3) 이 글의 내용과 <u>다른</u> 것을 고르십시오. (　　)

① 가을은 날씨가 맑습니다.
② 작년에 설악산에 가 봤습니다.
③ 가을 산의 단풍이 예뻤습니다.
④ 공원에 가서 친구를 만납니다.

3. 여러분이 좋아하는 계절을 이야기해 보십시오.

쓰기

1. 좋아하는 계절에 대한 글을 써 보십시오.

1) 개요를 써 보십시오.

개요		
처음	여러분 나라에는 무슨 계절이 있습니까?	
가운데	여러분은 무슨 계절을 좋아합니까? 그 계절이 어떻습니까?	
끝	그 계절에 무엇을 합니까? / 했습니까?	

2) 위 개요를 바탕으로 글을 써 보십시오.

문화 이해하기

한국의 계절과 여행

1. 여기가 어디입니까? 이야기해 보십시오.

- 꽃구경
- 야외
- 피다
- 특히
- 벚꽃
- 여의도
- 축제
- 해수욕장
- 강원도
- 속초
- 해운대
- 지리산
- 눈
- 스노보드
- 눈썰매

2. 다음을 읽고 이야기해 보십시오.

한국은 사계절이 있습니다. 사람들은 봄에 꽃구경을 하러 야외로 갑니다. 봄에는 꽃이 많이 핍니다. 특히 벚꽃이 아름답습니다. 서울 여의도에서는 봄마다 벚꽃 축제를 합니다.

여름에는 사람들이 수영을 하러 바다로 갑니다. 한국에는 해수욕장이 많이 있습니다. 인천에는 '을왕리 해수욕장', 강원도에는 '속초 해수욕장', 부산에는 '해운대 해수욕장'이 있습니다.

가을은 날씨가 맑고 시원합니다. 그래서 사람들은 산에 갑니다. 가을 산은 단풍이 정말 아름답습니다. 사람들은 가을에 설악산과 지리산, 한라산에 많이 갑니다.

겨울에는 눈이 옵니다. 그래서 사람들은 스키장에 갑니다. 스키장에서 스키와 스노보드를 탑니다. 그리고 눈썰매도 탑니다. 스키장은 강원도에 많이 있습니다.

1) 한국 사람들은 계절마다 무엇을 합니까?

2) 여러분 나라의 사람들은 계절마다 무엇을 합니까?

발음 128

받침 'ㅁ': 봄, 감, 힘, 여름, 사람
봄에, 감을, 잠이, 힘을, 여름에, 사람이

제8과 계획

준비하기 1
계획을 말하기
AV-(으)ㄹ 거예요①
AV-고②

준비하기 2
방학 계획을 세우기
AV-기 전에, N 전에
AV-(으)ㄴ 후에, N 후에
N 동안

말하기
미래 계획을 묻고 답하기

듣고 말하기
생일 선물을 준비하는 대화를 듣고 말하기

읽고 말하기
방학 계획에 대한 글을 읽고 말하기

쓰기
방학 계획을 쓰기

문화 이해하기
새해 계획

8 계획

준비하기1 129

왕 루: 자르갈 씨, 내일 뭐 할 거예요?

자르갈: 저는 친구와 함께 영화관에 갈 거예요.
영화를 보고 밥을 먹을 거예요.
왕루 씨는 뭐 할 거예요?

왕 루: 저는 명동에서 친구를 만날 거예요.
친구를 만나서 쇼핑을 하고 커피숍에 갈 거예요.

자르갈: 명동에서 뭘 살 거예요?

왕 루: 모자와 신발을 살 거예요.

1. AV-(으)ㄹ 거예요①

1) 가: 오후에 뭐 할 거예요?
   나: 소설책을 읽을 거예요.
2) 가: 내일 뭐 할 거예요?
   나: 내일 도서관에 갈 거예요.
3) 가: 방학에 뭐 할 거예요?
   나: 운전을 배울 거예요.
4) 가: 내일도 운동할 거예요?
   나: 아니요, 내일은 운동하지 않을 거예요.

AV-(으)ㄹ 거예요
AV-(으)ㄹ 겁니다
AV-(으)ㄹ 것입니다

• 외우다

2. AV-고②

1) 가: 점심을 먹고 뭐 해요?
   나: 점심을 먹고 영화를 봐요.
2) 가: 오후에 어디에 갔어요?
   나: 수업이 끝나고 백화점에 갔어요.
3) 가: 저녁에 뭐 할 거예요?
   나: 숙제를 하고 친구를 만날 거예요.

연습하기1

1. 다음과 같이 이야기해 보십시오.

- 꼭
- 입학하다
- 합격하다

> **오후**
> **오후 / 공원에서 사진을 찍다**
> 가: 오후**에 뭐 할 거예요?**
> 나: 오후**에** 공원에서 사진을 찍**을 거예요.**

1) 저녁
   저녁 / 고향 음식을 만들어서 먹다
2) 내일
   내일 / 친구와 함께 영화를 보다
3) 월요일
   월요일 / 도서관에 가서 책을 빌리다

2. 다음과 같이 이야기해 보십시오.

> **내년**
> **내년 / 대학교에 꼭 입학하다**
> 가: 내년**에 뭐 할 거예요?**
> 나: 내년**에** 대학교에 꼭 입학할 **거예요.**

1) 이번 방학
   매일 / 책을 읽다
2) 다음 달
   다음 달 / 한국을 여행하다
3) 내년
   내년 / 한국어 시험에 합격하다

표현

N에 합격하다: 시험에 합격하다

연습하기2

1. 다음과 같이 이야기해 보십시오.

> **소설책을 읽다 / 뭐 하다**
> **소설책을 읽다 / 커피를 마시다**
> 가: 소설책을 읽**고** 뭐 해**요?**
> 나: 소설책을 읽**고** 커피를 마셔**요.**

• 놀다

1) 음악을 듣다 / 뭐 하다
   음악을 듣다 / 영화를 보다
2) 쇼핑을 했다 / 뭐 했다
   쇼핑을 했다 / 요리를 했다
3) 친구와 놀 거다 / 뭐 할 거다
   친구와 놀 거다 / 도서관에 갈 거다

2. 친구와 같이 이야기해 보십시오.

> **지성**
> **책을 읽다 / 산책을 하다**
> 가: 지성 **씨, 주말에 뭐 할 거예요?**
> 나: **오전에** 책을 읽**고 오후에** 산책을 **할 거예요.**

이름	주말	
	오전	오후
나		
친구		

준비하기2 130

- 얼마
- 열흘
- 돌아가다

아멜리: 파하드 씨, 방학 동안에 뭐 할 거예요?

파하드: 저는 제주도를 여행할 거예요.
제주도를 여행한 후에 부산도 여행할 거예요. 아멜리 씨는요?

아멜리: 이번 방학에 제 고향 친구가 한국에 올 거예요.
그래서 저는 친구와 같이 서울과 인천을 구경할 거예요.

파하드: 아멜리 씨의 친구는 얼마 동안 한국에 있을 거예요?

아멜리: 제 친구는 한국에 열흘 동안 있을 거예요.
친구가 고향으로 돌아가기 전에 같이 한국 영화를 볼 거예요.

표현

N에 여행(을) 가다
N을/를 여행하다
N에서 여행하다

N 동안: 얼마 동안 한국에 있을 거예요?
몇 시간 동안 공부해요?
며칠 동안 여행을 했어요?

3. AV-기 전에, N 전에

1) 밥을 먹기 전에 손을 씻습니다.
2) 학교에 가기 전에 숙제를 할 겁니다.
3) 1시간 전에 일어났습니다.

N주일: 일주일, 이 주일, 삼 주일
N 달: 한 달, 두 달, 세 달
N 년: 일 년, 이 년, 삼 년

- 손
- 씻다
- 이
- 닦다
- 샤워
- 보통

4. AV-(으)ㄴ 후에, N 후에

1) 밥을 먹은 후에 이를 닦습니다.
2) 요리를 한 후에 밥을 먹었습니다.
3) 샤워 후에 공부를 할 겁니다.

5. N 동안

1) 가: 몇 시간 동안 점심을 먹어요?
나: 보통 1시간 동안 점심을 먹어요.
2) 가: 방학 동안 어디에 여행을 갔어요?
나: 방학 동안 부산에 여행을 갔어요.
3) 가: 얼마 동안 일할 거예요?
나: 닷새 동안 일할 거예요.

연습하기3

• 들어가다
• 벗다

1. 다음과 같이 이야기해 보십시오.

친구를 만나다
친구를 만나다 / 숙제를 하다
가: 친구를 만나**기 전에 무엇을 해요?**
나: 친구를 만나**기 전에** 숙제를 해**요.**

1) 밥을 먹다
밥을 먹다 / 물을 마시다
2) 사진을 찍다
사진을 찍다 / 거울을 보다
3) 방에 들어가다
방에 들어가다 / 신발을 벗다
4) 학교에 가다
학교에 가다 / 예습을 하다

2. 다음과 같이 이야기해 보십시오.

숙제를 했다
1시간 / 숙제를 했다
가: **언제** 숙제를 했**어요?**
나: 1시간 **전에** 숙제를 했**어요.**

1) 한국에 왔다
한 달 / 한국에 왔다
2) 시계를 샀다
이틀 / 시계를 샀다
3) 요리를 했다
10분 / 요리를 했다
4) 전화를 했다
조금 / 전화를 했다

연습하기4

1. 다음과 같이 이야기해 보십시오.

• 빗다
• 식사

친구를 만나다
친구를 만나다 / 영화를 보다
가: 친구를 만난 **후에 무엇을 할 거예요?**
나: 친구를 만난 **후에** 영화를 볼 **거예요.**

1) 밥을 먹다
밥을 먹다 / 커피를 마시다
2) 옷을 입다
옷을 입다 / 머리를 빗다
3) 도서관에 가다
도서관에 가다 / 공부를 하다
4) 청소를 하다
청소를 하다 / 빨래를 하다

2. 다음과 같이 이야기해 보십시오.

시험을 보다
나흘 / 시험을 보다
가: **언제** 시험을 볼 **거예요?**
나: 나흘 **후에** 시험을 볼 **거예요.**

1) 책을 읽다
10분 / 책을 읽다
2) 운동을 하다
1시간 / 운동을 하다
3) 고향에 가다
두 달 / 고향에 가다
4) 쇼핑을 하러 가다
식사 / 쇼핑을 하러 가다

연습하기5

1. 다음과 같이 이야기해 보십시오.

• 학기

몇 시간 / 책을 읽다
1시간 / 책을 읽다
가: 몇 시간 **동안** 책을 읽**어요?**
나: 1시간 **동안** 책을 읽**어요.**

1) 몇 주 / 고향에 있다
   2주일 / 고향에 있다
2) 몇 시간 / 도서관에서 공부하다
   3시간 / 도서관에서 공부하다
3) 며칠 / 친구와 여행을 했다
   사흘 / 친구와 여행을 했다
4) 얼마 / 태권도를 배울 거다
   1년 / 태권도를 배울 거다

2. 다음과 같이 이야기해 보십시오.

하루
하루 / 책을 읽었다
가: 하루 **동안 뭐 했어요?**
나: 하루 **동안** 책을 읽었**어요.**

1) 지난 학기
   지난 학기 / 고향에서 일을 했다
2) 방학
   방학 / 공부도 하고 여행도 했다
3) 주말
   주말 / 영화도 보고 책도 읽었다

말하기

미래 계획을 묻고 답하기

1. 배운 문법을 활용하여 〈보기〉와 같이 대화해 보십시오.

이름	대학교에 입학하다	
	전	후
왕루	한국어 시험을 보다	유학생 모임을 만들 거다
자르갈	여행을 할 거다	6개월 동안 태권도를 배울 거다

• 유학생
• 모임

보기

자르갈: (**왕루**) 씨, (**대학교에 입학하기 전에 뭐 할 거예요**)?
왕　루: 저는 (**대학교에 입학하기 전에 한국어 시험을 볼 거예요**).
　　　자르갈 씨는요?
자르갈: 저는 (**대학교에 입학하기 전에 여행을 할 거예요**).
　　　그리고 (**대학교에 입학한 후에 6개월 동안 태권도를 배울 거예요**).
　　　(**왕루**) 씨는 (**대학교에 입학한 후에 뭐 할 거예요**)?
왕　루: 저는 (**대학교에 입학한 후에 유학생 모임을 만들 거예요**).
　　　그래서 (**친구들과 함께 한국어도 공부하고 중국어도 가르칠 거예요**).

2. 친구들과 함께 대화해 보십시오.

	이름	고향에 가다	
		전	후
1)	나		
	친구		
	이름	( )	
		전	후
2)	나		
	친구		

듣고 말하기 131 생일 선물을 준비하는 대화를 듣고 말하기

1. 무엇을 합니까? 이야기해 보십시오.

2. 다음을 듣고 물음에 답하십시오.

1) 무슨 이야기를 합니까?

2) 들은 내용과 같은 것을 고르십시오. (   )

① 여자는 생일 선물을 준비했습니다.
② 여자는 한국 소설책을 좋아합니다.
③ 남자는 어제 선물을 사러 서점에 갔습니다.
④ 남자는 여자와 함께 선물을 사러 갈 겁니다.

3. 친구들에게 생일 파티 계획을 이야기해 보십시오.

읽고 말하기

방학 계획에 대한 글을 읽고 말하기

1. 무엇을 합니까? 이야기해 보십시오.

- 비행기
- 표
- 예매하다
- 친척
- 돌아오다

2. 다음을 읽고 물음에 답하십시오.

> 저는 이번 방학에 고향에 갈 겁니다. 고향에 가기 전에 비행기 표를 예매하고 백화점에 갈 겁니다. 백화점에서 부모님과 친구의 선물을 살 겁니다.
>
> 고향에 가서 부모님과 함께 바다로 여행을 갈 겁니다. 우리는 사흘 동안 바다에서 수영도 하고 고향 음식도 먹을 겁니다. 그리고 친척들을 만나고 집으로 돌아올 겁니다. 집으로 돌아온 후에 친구의 생일 파티에 갈 겁니다. 생일 파티에 가서 한국의 전통 물건을 선물할 겁니다.
>
> 그래서 저는 방학을 기다립니다.

1) 무엇에 대한 이야기입니까? 알맞은 것을 고르십시오. (　　)

① 계획　　② 경험　　③ 가족　　④ 선물

2) 이 글의 내용과 같은 것을 고르십시오. (　　)

① 이 사람은 선물을 사고 비행기 표를 예매할 겁니다.
② 이 사람은 고향에서 3일 동안 바다를 여행할 겁니다.
③ 이 사람은 친척들을 만나고 바다에 갈 겁니다.
④ 이 사람은 방학이 끝난 후에 생일파티에 갈 겁니다.

3. 여러분의 방학 계획을 이야기해 보십시오.

쓰기

1. 방학 계획을 써 보십시오.

1) 개요를 써 보십시오.

개요		
처음	방학 동안에 어디에 갈 겁니까?	
가운데	거기에 가기 전에 무엇을 준비할 겁니까?	
끝	거기에 간 후에 무엇을 할 겁니까?	

2) 위 개요를 바탕으로 글을 써 보십시오.

문화 이해하기

새해 계획

1. 무엇입니까? 이야기해 보십시오.

- 새해
- 계획
- 세우다
- 담배
- 끊다
- 벌다
- 결혼
- 노력하다

2. 다음을 읽고 이야기해 보십시오.

한국 사람들은 새해에 계획을 세웁니다.

"매일 열심히 공부를 할 거예요."
"날마다 열심히 일을 할 거예요."
"날마다 운동을 할 거예요."
"돈을 많이 벌 거예요."
"꼭 담배를 끊을 거예요."
"꼭 결혼을 할 거예요."

한국 사람들은 날마다 새해 계획을 생각하고 열심히 노력합니다.

1) 한국 사람들은 새해에 무엇을 합니까?

2) 여러분 나라의 사람들은 새해에 무엇을 계획합니까? 이야기해 보십시오.

발음 132

받침 'ㅇ': 운동, 가방, 고향, 공항, 여행
운동은, 가방이, 고향에, 공항으로, 여행을

제9과 물건 사기

준비하기 1
물건을 사기
수④
AV-(으)세요 / -(으)십시오

준비하기 2
선물을 추천하기
N(이)랑
AV-고 있다①
N에게(서) / 한테(서)

말하기
가게에서 물건을 사기

듣고 말하기
물건을 사는 대화를 듣고 말하기

읽고 말하기
특별한 날에 주는 선물에 대한 글을 읽고 말하기

쓰기
특별한 날에 주는 선물에 대한 글 쓰기

문화 이해하기
한국의 시장

9 물건 사기

준비하기1

133

물건을 사기

- 당근
- 개
- 점원
- 싱싱하다
- 감자

파하드: 당근 한 개에 얼마예요?

점 원: 오백 원입니다.

파하드: 싱싱해요?

점 원: 예, 싱싱하고 맛있습니다.

파하드: 감자는 얼마예요?

점 원: 세 개에 이천 원입니다.

파하드: 조금 비싸요.

점 원: 그러면 천 오백 원만 주십시오.

파하드: 고맙습니다. 그럼 당근 두 개와 감자 세 개 주세요.

점 원: 여기 있습니다. 모두 이천오백 원입니다.

파하드: 네, 감사합니다.

표현

여기 있습니다.

N에 얼마입니까?: 한 개에 얼마입니까?

N에 N입니다.: 한 개에 500원입니다.

1. 수④

1	2	3	4	5	6	7	8	9
하나	둘	셋	넷	다섯	여섯	일곱	여덟	아홉
한 개	**두** 개	**세** 개	**네** 개	다섯 개	여섯 개	일곱 개	여덟 개	아홉 개
10	20	30	40	50	60	70	80	90
열	스물	서른	마흔	쉰	예순	일흔	여든	아흔
열 개	스무 개	서른 개	마흔 개	쉰 개	예순 개	일흔 개	여든 개	아흔 개

명/분 살 권 장 병 잔 켤레 마리 송이 대

손님 한 분　　장갑 두 켤레　　장미 세 송이

- 손님
- 장갑
- 장미
- 앉다

2. AV-(으)세요 / -(으)십시오

1) 가: 여기에 앉으세요.
   나: 네, 고마워요.
2) 가: 내일 몇 시까지 가요?
   나: 9시까지 오십시오.
3) 가: 한국어가 재미있어요?
   나: 네, 재미있어요. 한번 배워 보세요.

✓ AV-아/어/여 보세요

가: 인사동에 가 봤어요?
나: 아니요, 인사동에 안 가 봤어요.
가: 인사동에 가 보세요. 정말 좋아요.

연습하기1

• 고양이
• 자동차
• 콜라
• 종이
• 비누
• 번째
• 자리

1. 다음과 같이 이야기해 보십시오.

사과 / 개
3
가: 사과**가 몇** 개 **있어요?**
나: 세 개 **있어요.**

1) 친구 / 명
3
2) 커피 / 잔
4
3) 고양이 / 마리
5
4) 자동차 / 대
10

2. 다음과 같이 이야기해 보십시오.

책 2 / 신발 1
가: **뭘 샀어요?**
나: 책 두 권**과** 신발 한 켤레**를 샀어요.**

1) 잡지 2 / 콜라 3
2) 상미 3 / 장갑 1
3) 공책 3 / 종이 5
4) 연필 7 / 비누 4

3. 그림을 보고 다음과 같이 이야기해 보십시오.

흐엉 / 앞 / 2
가: 흐엉 **씨가** 앞**에서 몇 번째 자리에 있어요?**
나: 흐엉 **씨는** 앞**에서** 두 **번째 자리에 있어요.**

1) 왕 루 / 앞 / 3
2) 파하드 / 뒤 / 2
3) 자르갈 / 앞 / 1
4) 아멜리 / 뒤 / 1

연습하기2

1. 다음과 같이 이야기해 보십시오.

비가 오다 / 창문을 닫다

가: 비가 옵**니다.** 창문을 닫**으십시오.**
비가 와**요.** 창문을 닫**으세요.**

- 닫다
- 웃다

1) 사진을 찍다 / 웃다
2) 내일 시험을 보다 / 공부하다
3) 날씨가 춥다 / 옷을 많이 입다
4) 손님이 많다 / 조금만 기다리다

2. 다음과 같이 이야기해 보십시오.

제주도 / 아름다웠다
제주도 / 정말 아름다웠다 / 제주도에 꼭 가 보다

가: 제주도**가** 아름다웠**어요?**
나: **네,** 제주도**가** 정말 아름다웠**어요.** 제주도에 꼭 가 보**세요.**

1) 테니스 / 재미있다
테니스 / 아주 재미있다 / 테니스를 배워 보다
2) 꽃 선물 / 좋았다
꽃 선물 / 아주 마음에 들었다 / 꽃을 선물해 보다

표현

마음에 들다

준비하기2 134

- 고민하다
- 마음
- 전하다

자르갈: 다음 주 토요일이 여자 친구의 생일이에요.
아멜리: 아, 그래요? 여자 친구의 생일 선물을 샀어요?
자르갈: 아니요, 아직 안 샀어요. 지금 고민하고 있어요.
여자들은 무슨 선물을 좋아해요?
아멜리: 꽃이랑 편지가 어때요?
저도 작년 생일에 남자 친구한테서 꽃과 편지를 선물 받았어요.
자르갈: 좋았어요?
아멜리: 네, 선물이 아주 마음에 들었어요.
자르갈 씨도 여자 친구에게 편지를 써서 마음을 전해 보세요.
자르갈: 네, 고마워요.

표현

아직 + 안 AV: 아직 안 샀어요.
아직 + AV-지 않다: 아직 사지 않았어요.

3. N(이)랑

1) 가: 무엇을 샀어요?
   나: 생선이랑 채소를 샀어요.
2) 가: 시장에 누구랑 같이 갔어요?
   나: 친구랑 같이 갔어요.

• 생선

4. AV-고 있다①

1) 가: 지금 무엇을 하고 있습니까?
   나: 편지를 읽고 있습니다.
2) 가: 뭐 하고 있었어요?
   나: 과일을 사고 있었어요.

5. N에게/한테, N에게(서)/한테(서)

1) 가: 이 옷은 누구에게 줄 거예요?
   나: 여자 친구한테 줄 거예요.
2) 가: 이 가방은 누구한테서 받았어요?
   나: 남자 친구에게서 받았어요.

연습하기3

- 케이크
- 남산
- 남대문 시장
- 시험공부

1. 다음과 같이 이야기해 보십시오.

무엇을 샀다
빵 3개+콜라 2병 / 샀다
가: 무엇을 샀**어요?**
나: 빵 3개**랑** 콜라 2병**을** 샀**어요.**

1) 무엇을 읽었다
   소설책 1권 + 잡지 1권 / 읽었다
2) 무엇을 선물했다
   꽃 1송이 + 케이크 1개 / 선물했다
3) 어디를 구경했다
   남산 + 남대문 시장 / 구경했다
4) 누구를 만났다
   한국 친구 + 선생님 / 만났다

2. 다음과 같이 이야기해 보십시오.

여행을 갈 거다
부모님 / 여행을 갈 거다
가: **누구와 같이** 여행을 갈 거**예요?**
나: 부모님**이랑 같이** 여행을 갈 거**예요.**

1) 저녁을 먹을 거다
   동생 / 저녁을 먹을 거다
2) 시험공부를 할 거다
   친구 / 시험공부를 할 거다

연습하기4

1. 다음과 같이 이야기해 보십시오.

커피를 마시다
가: **뭐 하고 있어요?**
나: 커피를 마시**고 있어요.**

1) 밥을 먹다
2) 음식을 만들다
3) 영화를 보다
4) 숙제를 하다

연습하기5

1. 다음과 같이 이야기해 보십시오.

편지를 쓰다
언니 / 편지를 쓰다
가: **누구에게** 편지를 써**요?**
나: 언니**한테** 편지를 써**요.**

1) 책을 주다
   오빠 / 책을 주다
2) 전화를 걸다
   형 / 전화를 걸다
3) 이메일을 보냈다
   누나 / 이메일을 보냈다

- 이메일
- 초대장
- 전화
- 걸다

2. 다음과 같이 이야기해 보십시오.

편지를 받았다
왕루 씨 / 편지를 받았다
가: **누구한테서** 편지를 받았**어요?**
나: 왕루 씨**에게서** 편지를 받았**어요.**

1) 책을 빌렸다
형 / 책을 빌렸다
2) 선물을 받았다
파하드 씨 / 선물을 받았다
3) 한국어를 배웠다
언니 / 한국어를 배웠다
4) 이메일이 왔다
한국 친구 / 이메일이 왔다

3. 다음과 같이 이야기해 보십시오.

왕루 씨 → 로빈 씨
선물을 주다 / 선물을 받다
가: 왕루 씨**가 무엇을 하고 있어요?**
나: 왕루 씨**는** 로빈 씨**에게** 선물을 주**고 있어요.**
가: 로빈 씨**가 무엇을 하고 있어요?**
나: 로빈 씨**는** 왕루 씨**에게서** 선물을 받**고 있어요.**

1) 자르갈 씨 → 아벨리 씨
초대장을 주다 / 초대장을 받다
2) 왕루 씨 → 파하드 씨
이야기를 하다 / 이야기를 듣다
3) 누나 → 형
전화를 걸다 / 전화를 받다
4) 지성 씨 → 흐엉 씨
한국어를 가르치다 / 한국어를 배우다

말하기

가게에서 물건을 사기

1. 배운 문법을 활용하여 〈보기〉와 같이 대화해 보십시오.

생일 선물		
누구에게 줍니까?	무엇을 삽니까?	얼마입니까?
남자 친구	넥타이 / 손수건	넥타이 : 2만 원 손수건 : 5천 원

- 넥타이
- 손수건
- 운동화

보기

직원: 무슨 물건을 찾아요?
왕루: **(생일 선물을 보고 있어요).**
직원: 누구에게 선물할 거예요?
왕루: **(남자 친구한테 선물할 거예요).**
직원: 그러면 **(넥타이가 어때요)? (넥타이를 선물해 보세요).**
(1개에 2만 원입니다).
왕루: 저 **(손수건)**은/는 얼마예요?
직원: **(손수건)**은/는 **(1장에 5천 원)**이에요.
왕루: 그럼 **(넥타이 1개랑 손수건 2장을 주세요).**
직원: 모두 **(3만 원)**입니다.
왕루: 여기 있습니다.

	입학 선물		
1)	누구에게 줍니까?	무엇을 삽니까?	얼마입니까?
	동생	가방 / 운동화	가방: 3만 5천 원 운동화: 6만 원

	(　　　　) 선물		
2)	누구에게 줍니까?	무엇을 삽니까?	얼마입니까?

듣고 말하기 135

물건을 사는 대화를 듣고 말하기

- 세일하다
- 짜리

1. 어디입니까? 이야기해 보십시오.

2. 다음을 듣고 물음에 답하십시오.

1) 무슨 이야기를 합니까?

2) 들은 내용과 같은 것을 고르십시오. (   )

① 사과는 한 개에 2,000원입니다.
② 남자는 여자에게서 수박을 샀습니다.
③ 여자는 사과 2개와 수박 1통을 샀습니다.
④ 여자는 남자에게 16,500원을 주었습니다.

3. 편의점입니다. 점원과 손님의 대화를 해 보십시오.

콜라	양말	잡지
1500원 / 1병	3000원 / 1켤레	2500원 / 1권

읽고 말하기

특별한 날에 주는 선물에 대한 글을 읽고 말하기

1. 무엇입니까? 이야기해 보십시오.

- 어버이날
- 카네이션
- 카드
- 포장하다
- 사랑하다

2. 다음을 읽고 물음에 답하십시오.

> 내일은 5월 8일 어버이날입니다. 한국 사람들은 어버이날에 부모님에게 카네이션을 선물합니다.
>
> 저는 어제 카네이션을 사러 친구와 함께 학교 앞 꽃집에 갔습니다. 사람들이 꽃을 많이 사고 있었습니다. 저는 카네이션 두 (㉠)을/를 샀습니다. 또 카드도 두 (㉡)을/를 샀습니다. 저녁에 이 꽃을 포장했습니다. 그리고 카드에 감사의 편지를 썼습니다.
>
> "어머니, 감사합니다. 그리고 사랑합니다."
>
> "아버지, 고맙습니다. 그리고 사랑합니다."
>
> 내일 부모님에게 카네이션과 카드를 선물할 겁니다.

1) 무엇에 대한 이야기입니까? 알맞은 것을 고르십시오. (　　)

① 어버이날　② 카네이션　③ 부모님　④ 카드

2) ㉠과 ㉡에 들어갈 알맞은 것을 고르십시오. (　　)

① ㉠ 대, ㉡ 켤레　② ㉠ 마리, ㉡ 명
③ ㉠ 잔, ㉡ 병　④ ㉠ 송이, ㉡ 장

3) 이 글의 내용과 같은 것을 고르십시오. (　　)

① 친구가 꽃을 포장했습니다.　② 저는 카네이션을 좋아합니다.
③ 저는 친구와 꽃집에 갔습니다.　④ 부모님이 저에게 꽃을 선물할 겁니다.

3. 여러분의 나라에는 어떤 특별한 날이 있습니까? 그 날에 무엇을 선물을 합니까?

쓰기

1. 특별한 날에 주는 선물에 대한 글을 써 보십시오.

1) 개요를 써 보십시오.

개요		
처음	그 날은 무슨 날입니까? 그 날에 사람들은 무엇을 합니까? / 무엇을 선물합니까?	
가운데	여러분은 그 날에 무엇을 했습니까? / 누구에게 무엇을 선물했습니까?	
끝	한 후에 기분이 어땠습니까? / 선물을 한 후에 기분이 어땠습니까?	

2) 위 개요를 바탕으로 글을 써 보십시오.

문화 이해하기

한국의 시장

1. 여기가 어디입니까? 이야기해 보십시오.

- 가격
- 동대문
- 교통
- 편리하다
- 외국인
- 관광객
- 수산
- 조개
- 오징어
- 수산물
- 팔다

2. 다음을 읽고 이야기해 보십시오.

한국의 시장은 물건도 좋고 가격도 쌉니다.

서울은 남대문 시장, 동대문 시장이 유명합니다. 남대문 시장과 동대문 시장은 옷, 가방, 음식을 팝니다. 가격이 싸고 교통도 편리합니다. 그래서 외국인 관광객들도 물건을 사러 많이 갑니다.

인천과 부산은 수산 시장이 유명합니다. 인천의 소래 포구 시장과 부산의 자갈치 시장은 생선, 조개, 오징어가 싱싱하고 쌉니다. 그래서 사람들이 수산물을 사러 많이 갑니다.

1) 동대문 시장과 남대문 시장은 무엇이 유명합니까? 그리고 수산 시장은 어디가 유명합니까?

2) 여러분 나라의 유명한 시장을 친구들에게 소개해 보십시오.

발음 136

받침 'ㅂ': 집, 밥, 지갑, 종이컵, 덮밥
집에서, 밥이, 지갑은, 종이컵과, 덮밥도

제10과 음식

준비하기 1
음식을 추천하기
AV-(으)ㄹ까요?①
AV-(으)ㅂ시다
V-(으)니까①, N(이)니까

준비하기 2
음식을 주문하기
AV-고 싶다
AV-겠-①

말하기
음식을 고르고 주문하기

듣고 말하기
고향 음식을 소개하기

읽고 말하기
좋아하는 음식에 대한 글을 읽고 말하기

쓰기
좋아하는 음식에 대한 글 쓰기

문화 이해하기
김밥을 만드는 방법

10 음식

준비하기1 137

- 기온
- 도(℃)
- 삼계탕
- 인삼
- 닭
- 넣다

자르갈: 요즘 날씨가 너무 더워요.
아멜리: 네, 오늘도 기온이 33℃예요.
자르갈: 한국 사람들은 여름에 삼계탕을 많이 먹어요.
아멜리: 삼계탕이 뭐예요?
자르갈: 삼계탕은 한국의 전통 음식이에요. 인삼과 닭을 넣어서 만들어요.
아멜리: 맛있어요?
자르갈: 네, 아주 맛있어요. 우리 삼계탕을 먹을까요?
아멜리: 좋아요. 배고프니까 빨리 가서 먹어 봅시다.

1. AV-(으)ㄹ까요?①

1) 가: 몇 시에 전화를 할까요?
   나: 오후 5시에 전화를 하세요.
2) 가: 저녁에 냉면을 먹을까요?
   나: 네, 좋아요.

2. AV-(으)ㅂ시다

1) 가: 점심에 비빔밥을 먹을까요?
   나: 네, 좋아요. 비빔밥을 먹읍시다.
2) 가: 내일 영화를 보러 갑시다.
   나: 미안해요. 내일 시간이 없어요. 주말에 영화를 보러 갑시다.

3. V-(으)니까①, N(이)니까

1) 날씨가 좋으니까 산책을 합시다.
2) 늦었으니까 택시를 탈까요?
3) 사진을 찍을 거니까 모두 웃으세요.
4) 수업 시간이니까 한국어만 사용하세요.

- 냉면
- 늦다
- 택시
- 사용하다

연습하기1

1. 다음과 같이 이야기해 보십시오.

- 에어컨
- 켜다

몇 시까지 학교에 가다
9시까지 학교에 오다
가: 몇 시까지 학교에 갈**까요?**
나: 9시까지 학교에 오**세요.**

1) 이 책을 몇 번 읽다
   1번 읽다
2) 몇 시에 사무실에 가다
   오후 3시에 오다
3) 창문을 닫다
   네, 닫다
4) 에어컨을 켜다
   네, 켜다

2. 다음과 같이 이야기해 보십시오.

다음 주 / 영화를 보다
가: 다음 주**에 같이** 영화를 볼**까요?**
나: **네, 좋아요.**

1) 점심 / 불고기를 먹다
2) 주말 / 공원에 가다
3) 일요일 / 사진을 찍다
4) 월요일 / 도서관에서 공부하다

연습하기2

1. 다음과 같이 이야기해 보십시오.

날씨가 좋다 / 공원에 산책하러 가다
산책하러 가다
가: 날씨가 좋**아요.** 공원에 산책하러 갈**까요?**
나: **네,** 산책하러 갑**시다.**

1) 다음 주에 시험이 있다 / 도서관에서 공부하다
   도서관에서 공부하다
2) 어제 눈이 많이 왔다 / 스키를 타러 가다
   스키를 타러 가다
3) 날씨가 춥다 / 겨울옷을 사러 가다
   겨울옷을 사러 가다

- 겨울옷
- 다리

2. 다음과 같이 이야기해 보십시오.

수업이 끝난 후에 같이 축구하다
오늘 숙제가 많다 / 다음에 같이 축구를 하다
가: 수업이 끝난 후에 같이 축구 합**시다.**
나: **미안해요.** 오늘 숙제가 많**아요.** 다음에 같이 축구를 합**시다.**

1) 토요일에 같이 쇼핑하러 가다
   토요일에 약속이 있다 / 다음 주에 쇼핑하러 가다
2) 오늘 저녁에 공원에서 자전거를 타다
   다리가 아프다 / 다음에 같이 자전거를 타다
3) 점심에 삼계탕을 먹다
   배가 안 고프다 / 내일 삼계탕을 먹다

연습하기3

1. 다음과 같이 이야기해 보십시오.

길이 위험하다 / 조심하다
가: 길이 위험하**니까** 조심하**세요.**

1) 영화가 곧 시작하다 / 빨리 오다
2) 날씨가 춥다 / 옷을 많이 입다
3) 곧 도착할 거다 / 기다리다

- 길
- 위험하다
- 조심하다
- 곧
- 빨리
- 도착하다
- 막히다
- 출발하다

2. 다음과 같이 이야기해 보십시오.

오늘 날씨가 춥다 / 내일 운동하다
가: 오늘 날씨가 추우**니까** 내일 운동**합시다.**

1) 길이 막히다 / 빨리 출발하다
2) 지금 바쁘다 / 다음에 만나다
3) 어제 시험이 끝났다 / 오늘은 쉬다

3. 다음과 같이 이야기해 보십시오.

비가 오다 / 지하철을 타다
네, 지하철을 타다
가: 비가 오**니까** 지하철을 **탈까요?**
나: 네, 지하철을 **탑시다.**

1) 왕루 씨가 안 오다 / 전화를 해 보다
아니요, 조금 더 기다려 보다
2) 날씨가 덥다 / 에어컨을 켜다
네, 에어컨을 켜다
3) 다음 주가 자르갈 씨의 생일이다 / 선물을 사다
네, 선물을 사다

준비하기2 138

음식을 주문하기

- 갈비탕
- 주문하다

자 르 갈: 아멜리 씨, 무엇을 먹고 싶어요?
아 멜 리: 한국 음식을 먹고 싶어요.
자 르 갈: 그러면 한식당에 갑시다.

(잠시 후)

아주머니: 어서 오세요.
아 멜 리: 사르갈 씨, 뭐 먹을 거예요?
자 르 갈: 저는 비빔밥을 먹을 거예요. 아멜리 씨는요?
아 멜 리: 음, 이 식당은 뭐가 맛있어요?
자 르 갈: 여기는 갈비탕이 정말 맛있어요.
아 멜 리: 그럼 저는 갈비탕을 먹겠어요.
자 르 갈: 여기요!
아주머니: 네, 무엇을 주문하겠습니까?
자 르 갈: 비빔밥 1인분하고 갈비탕 1인분을 주세요.
아주머니: 네, 알겠습니다.

표현

여기요!
N인분: 여기 갈비탕 2인분 주세요.

• 라면

4. AV-고 싶다

1) 저는 라면을 먹고 싶어요.
2) 왕루 씨, 어디에 가고 싶어요?
3) 저는 그 영화를 안 보고 싶어요.
4) 저는 한국어 선생님이 되고 싶었습니다.
5) 자르갈 씨는 사과를 먹고 싶어 해요.

✓ AV-고 싶다(DV)

저는 사과를 먹고 싶습니다.

✓ V-고 싶어 하다(AV)

친구는 사과를 먹고 싶어 합니다.

5. AV-겠-①

1) 가: 언제 한국에 올 거예요?
   나: 월요일에 가겠습니다.
2) 가: 무엇을 먹겠습니까?
   나: 빵을 먹겠습니다.
3) 가: 지금 영화가 시작되겠습니다.

연습하기4

1. 다음과 같이 이야기해 보십시오.

누구를 만나다
고향 친구를 만나다
가: 누구를 만나**고 싶어요?**
나: 고향 친구를 만나**고 싶어요.**

• 세계

1) 점심에 무엇을 먹다
   갈비탕을 먹다
2) 방학에 어디에 가다
   제주도에 가다
3) 무슨 책을 읽다
   한국 소설책을 읽다

2. 다음과 같이 이야기해 보십시오.

아멜리
아멜리 / 세계 여행을 하고 싶다
가: 아멜리 **씨는 뭘 하고 싶어 해요?**
나: 아멜리 **씨는** 세계 여행을 하고 싶**어 해요.**

1) 흐엉
   흐엉 / 책을 읽다
2) 왕루
   왕루 / 영화를 보다
3) 자르갈
   자르갈 / 농구를 하다

• 차

3. 다음과 같이 이야기해 보십시오.

파하드 / 이 영화를 보다
그 영화를 안 보다
가: 파하드 **씨,** 이 영화를 보**고 싶어요?**
나: **아니요, 저는** 그 영화를 안 보**고 싶어요.**

1) 흐엉 / 비빔밥을 먹다
   비빔밥을 안 먹다
2) 왕루 / 차를 마시다
   차를 안 마시다

4. 다음과 같이 이야기해 보십시오.

파하드 / 박물관에 가다
파하드 / 박물관에 안 가다
가: 파하드 **씨가** 박물관에 가**고 싶어 해요?**
나: **아니요,** 파하드 **씨는** 박물관에 안 가**고 싶어 해요.**

1) 자르갈 / 사진을 찍다
   지르갈 / 사진을 안 찍다
2) 아멜리 / 쇼핑하다
   아멜리 / 쇼핑을 안 하다

연습하기5

1. 다음과 같이 이야기해 보십시오.

언제 약을 먹다
식사 후에 먹다
가: 언제 약을 먹**을 거예요?**
나: 식사 후에 먹**겠습니다.**

1) 몇 시에 자다
   11시에 자다
2) 올해 무엇을 하다
   한국어 시험에 꼭 합격하다
3) 내일 수업 시간에 늦다
   아니요, 늦지 않다

• 방송

2. 다음과 같이 이야기해 보십시오.

언제 자르갈 씨에게 전화하다
오후에 전화를 하다
가: 언제 자르갈 씨에게 전화하**겠습니까?**
나: 오후에 전화를 하**겠습니다.**

1) 무슨 책을 읽다
   한국 소설책을 읽다
2) 무엇을 사다
   이 옷을 사다
3) 무엇을 주문하다
   비빔밥 1인분하고 갈비탕 1인분을 주문하다

3. 다음과 같이 이야기해 보십시오.

오늘 오후에 비가 오다
가: 오늘 오후에 비가 오**겠습니다.**

1) 한국어 듣기 방송을 시작하다
2) 지하철이 곧 출발하다

말하기

음식을 고르고 주문하기

1. 배운 문법을 활용하여 〈보기〉와 같이 대화해 보십시오.

- 김밥
- 떡볶이
- 우동
- 만두
- 김치찌개
- 된장찌개
- 떡국

보기

파하드: (**왕루**) 씨, 우리 뭐 먹을까요?
왕　루: 저는 (**떡볶이를 먹고 싶어요**). 파하드 씨는요?
파하드: 저는 (**떡볶이가 매우니까 김밥을 먹고 싶어요**).
왕　루: 또 무엇을 먹고 싶어요?
파하드: 우리 (**만두도 먹을까요**)?
왕　루: (**네, 좋아요. 만두도 먹읍시다**).
파하드: 여기요! (**떡볶이 1인분하고 김밥 1인분, 만두 1인분을 주세요**).

2. 위 메뉴를 보고 친구들과 함께 대화해 보십시오.

듣고 말하기 139

고향 음식을 소개하기

1. 무엇을 합니까? 이야기해 보십시오.

- 샐러드
- 재료
- 치즈
- 계란
- 필요하다
- 고기
- 밀가루
- 맛
- 달다

2. 다음을 듣고 물음에 답하십시오.

1) 무슨 이야기를 합니까?

2) 들은 내용과 같은 것을 고르십시오. (　　　)

① 프랑스 샐러드는 채소, 고기, 계란이 필요합니다.
② 몽골 만두는 고기와 치즈와 밀가루가 필요합니다.
③ 여자는 음식 축제에서 만두를 만들고 싶어 합니다.
④ 남자는 이번 주 목요일에 재료를 사러 갈 겁니다.

3. 여러분은 음식 축제에서 무슨 음식을 만들고 싶습니까?

읽고 말하기

좋아하는 음식에 대한 글을 읽고 말하기

• 파티

1. 무엇입니까? 이야기해 보십시오.

2. 다음을 읽고 물음에 답하십시오.

저는 한국에 와서 떡볶이를 처음 먹어 봤습니다. 떡볶이는 조금 매웠습니다. 하지만 달고 맛있었습니다. 그래서 저는 떡볶이를 아주 좋아합니다. 친구들과 함께 떡볶이를 먹으러 식당에 자주 갑니다.

지난 주말에는 집에서 친구들과 파티를 했습니다. 친구들은 고향의 음식을 만들고 저는 떡볶이를 만들었습니다. 저는 떡볶이를 처음 만들어 봤습니다. 그런데 친구들이 제 떡볶이를 아주 좋아했습니다. 기분이 정말 좋았습니다. 그래서 한국 요리를 많이 배우고 싶습니다.

1) 무엇에 대한 이야기입니까? 알맞은 것을 고르십시오. (　　)

① 주말　② 친구　③ 음식　④ 식당

2) 이 글의 내용과 같은 것을 고르십시오. (　　)

① 이 사람은 한국에서 떡볶이를 처음 먹었습니다.
② 이 사람은 요즘 떡볶이를 먹지 않습니다.
③ 이 사람은 친구들과 함께 떡볶이를 만들었습니다.
④ 이 사람은 주말에 친구들과 파티를 할 겁니다.

3. 여러분은 무슨 음식을 좋아합니까? 이야기해 보십시오.

쓰기

좋아하는 음식에 대한 글 쓰기

1. 여러분이 좋아하는 음식에 대해 글을 써 보십시오.

1) 개요를 써 보십시오.

개요		
처음	여러분은 무슨 음식을 좋아합니까? 그 음식은 맛이 어떻습니까?	
가운데	그 음식을 누구와 언제, 어디에서 만들어(먹어) 봤습니까?	
끝	그 음식을 먹은 후에 기분이 어땠습니까?	

2) 위 개요를 바탕으로 글을 써 보십시오.

문화 이해하기

김밥을 만들기

- 김
- 야채
- 단무지
- 칼
- 접시
- 말다
- 썰다
- 담다

1. 무엇입니까? 이야기해 보십시오.

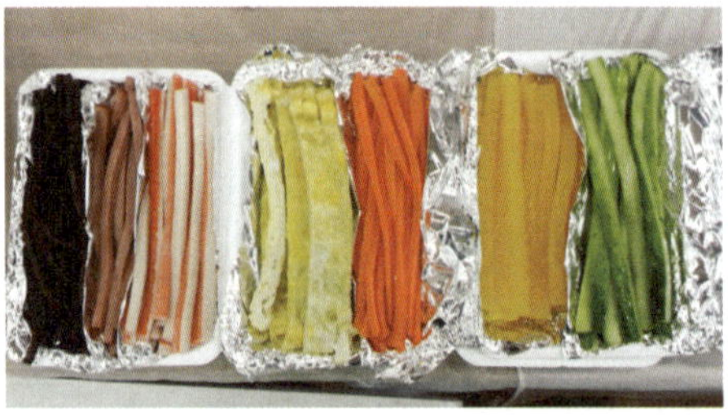

2. 다음을 읽고 이야기해 보십시오.

김밥 만들기

■ 준비물

김, 밥, 야채, 고기, 단무지, 칼, 접시

■ 만드는 방법

① 김 위에 밥을 놓아요.
② 밥 위에 야채, 고기, 단무지를 놓아요.
③ 김을 말아요.
④ 칼로 썰어요.
⑤ 접시에 담아요.

1) 김밥은 어떻게 만듭니까?

2) 여러분 나라의 음식은 어떻게 만듭니까? 이야기해 보십시오.

발음 140

받침 'ㄱ': 지각, 한국, 연극, 밖, 부엌
지각은, 한국과, 연극도, 밖으로, 부엌이

M.E.M.O.

제11과 전화

준비하기 1
전화를 걸고 받기
V-지요?, N(이)지요?
V-겠-②, N(이)겠-
AV-아/어/여 주다

준비하기 2
전화를 바꿔 주기
V-(으)면, N(이)면
ㄷ 동사

말하기
전화로 약속하기

듣고 말하기
전화로 초대하기

읽고 말하기
문자 메시지를 읽고 말하기

쓰기
문자 메시지를 쓰기

문화 이해하기
전화 예절

11 전화

준비하기1 141

전화를 걸고 받기

- 다
- 문법
- 좀
- 가르치다
- 바쁘다

왕 루: 여보세요? 파하드 씨지요?
파하드: 네, 전데요.
왕 루: 파하드 씨, 저 왕루예요. 파하드 씨는 숙제를 다 했어요?
파하드: 네, 다 했어요. 무슨 일이 있어요?
왕 루: 문법 숙제가 어려워요. 파하드 씨가 문법을 좀 가르쳐 주세요.
지금 시간이 괜찮아요?
파하드: 미안해요. 지금 청소랑 빨래를 하고 있어요.
왕 루: 아, 바쁘겠어요.
파하드: 괜찮아요. 곧 끝나요. 한 시간 후에 도서관에서 만납시다.
왕 루: 네, 고마워요. 파하드 씨.

표현

여보세요?
전데요.

1. V-지요?, N(이)지요?

1) 가: 흐엉 씨는 베트남에서 왔지요?

나: 네, 저는 베트남에서 왔어요.

2) 가: 오늘 날씨가 덥지요?

나: 네, 오늘 날씨가 더워요.

3) 가: 자르갈 씨지요?

나: 네, 전데요.

- 비
- 맞다
- 들다
- 설명하다

2. V-겠-②, N(이)겠-

1) 가: 오늘 날씨가 흐려요.

나: 네, 곧 비가 오겠어요.

2) 가: 자르갈 씨의 고향은 지금 겨울이겠어요.

나: 맞아요. 제 고향은 지금 겨울이에요.

3) 가: 다음 달에 제주도로 여행을 갈 거예요.

나: 와, 좋겠어요.

3. AV-아/어/여 주다

1) 가방을 좀 들어 주세요.

2) 저를 좀 도와주세요.

3) 언니가 동생에게 책을 읽어 주었어요.

4) 친구가 저에게 문법을 설명해 줬어요.

연습하기1

• 서울

1. 다음과 같이 이야기해 보십시오.

수업이 5시 30분에 끝나다
수업이 5시 30분에 끝나다
가: 수업이 5시 30분에 끝나**지요?**
나: **네,** 수업이 5시 30분에 끝나**요.**

1) 내일 서울에 가다
   내일 오전에 서울에 가다
2) 어제 오후에 집에 있었다
   오후에 집에서 숙제를 했다
3) 주말에 도서관에 갈 거다
   주말에 친구와 도서관에 갈 거다
4) 한국어가 재미있다
   한국어가 아주 재미있다

2. 다음과 같이 이야기해 보십시오.

여보세요? 지성 씨
네, 저
가: 여보세요? 지성 씨**지요?**
나: 네, 저**예요.**

1) 여보세요? 거기가 인하 식당
   네, 인하 식당
2) 저 사람이 자르갈 씨의 형
   네, 자르갈 씨의 형
3) 오늘이 금요일
   아니요, 오늘은 목요일
4) 다음 주부터 시험
   아니요, 다음 주부터 방학

연습하기2

1. 다음과 같이 이야기해 보십시오.

어제 비가 많이 왔다 / 오늘 날씨가 춥다
가: 어제 비가 많이 왔**으니까** 오늘 날씨가 춥**겠어요.**

1) 눈이 많이 오다 / 길이 막히다
2) 형의 나이가 많다 / 결혼했다
3) 주말이다 / 극장에 사람이 많다
4) 한국이 지금 낮이다 / 미국은 지금 밤이다

• 많이
• 나이
• 결혼하다
• 극장
• 낮
• 나쁘다

2. 다음과 같이 이야기해 보십시오.

어제 5시간 동안 시험공부를 했다
정말 피곤하다
가: 어제 5시간 동안 시험공부를 했**어요.**
나: 정말 피곤하**겠어요.**

1) 내일 고향 친구가 한국에 올 거다
기분이 좋다
2) 지난 주말에 자르갈 씨의 생일 파티를 했다
재미있었다
3) 아침부터 밥을 안 먹고 일하고 있다
배고프다
4) 어제 3시간 동안 친구를 기다렸다
기분이 나빴다

연습하기3

- 값
- 깎다
- 알다
- 잠깐
- 지갑

1. 다음과 같이 이야기해 보십시오.

아주머니 / 값을 좀 깎다
가: 아주머니, 값을 좀 깎**아 주세요.**
나: **네, 알겠습니다.**

1) 기사님 / 인하대학교로 가다
2) 지성 씨 / 숙제를 좀 가르치다
3) 자르갈 씨 / 잠깐만 기다리다
4) 오위노 씨 / 제 지갑을 찾다
5) 아멜리 씨 / 고향 이야기를 하다

2. 다음과 같이 이야기해 보십시오.

김밥을 만들다
동생 / 김밥을 만들다
가: **누구에게** 김밥을 만들**어 줬어요?**
나: 동생**한테** 김밥을 만들**어 줬어요.**

1) 주소를 쓰다
자르갈 씨 / 주소를 쓰다
2) 책을 사다
흐엉 씨 / 책을 사다
3) 사진을 보내다
형 / 사진을 보내다
4) 휴대폰을 빌리다
아멜리 씨 / 휴대폰을 빌리다

준비하기2 142

전화를 바꿔 주기

- 얘기
- 다치다

흐 엉: 여보세요? 거기가 파하드 씨의 집이지요? 파하드 씨 있어요?

친 구: 네, 잠깐만 기다려 주세요. 파하드 씨, 전화 받으세요.

(잠시 후)

파하드: 여보세요? 전화 바꿨습니다.

흐 엉: 파하드 씨, 저 흐엉이에요.

파하드: 아, 흐엉 씨. 무슨 일이에요?

흐 엉: 지성 씨 얘기 들었어요?

파하드: 네? 무슨 얘기요?

흐 엉: 지성 씨가 다리를 다쳤어요. 그래서 지금 병원에 있어요.
파하드 씨, 시간이 있으면 같이 병원에 가 볼까요?

파하드: 네, 좋아요. 내일 수업이 끝나면 같이 병원에 갑시다.

표현

○○ 씨 좀 바꿔 주세요.
잠깐만 기다려 주세요.
○○ 씨, 전화 받으세요.
전화 바꿨습니다.
전화 잘못 거셨습니다.

- 도움
- 걷다

4. V-(으)면, N(이)면

1) 돈이 많으면 세계 여행을 하고 싶어요.
2) 주말에 시간이 있으면 영화를 보러 갑시다.
3) 책을 많이 읽으면 한국어 공부에 도움이 돼요.
4) 한국어 시험에 합격하면 대학교에 입학할 거예요.
5) 봄이면 꽃이 핍니다.

5. ㄷ 동사

1) 저는 아침마다 공원에서 30분 동안 걷습니다.
2) 수업 시간에 선생님 이야기를 잘 들으세요.
3) 선물을 받으면 기분이 좋습니다.

표현

N에 도움이 되다: 한국어 공부에 도움이 돼요

연습하기4

1. 다음과 같이 이야기해 보십시오.

선물을 받다 / 기분이 좋다
가: 선물을 받**으면** 기분이 좋**아요.**

1) 아이스크림을 너무 많이 먹다 / 배가 아프다
2) 매일 물을 많이 마시다 / 건강이 좋다
3) 심심하다 / 이 책을 보다 **[-(으)세요]**
4) 도착하다 / 전화하다 **[-(으)세요]**
5) 바쁘지 않다 / 영화를 보러 가다 **[-(으)ㅂ시다]**

• 물
• 건강
• 심심하다

2. 다음과 같이 이야기해 보십시오.

내일 자전거를 타러 갈 거다
날씨가 맑다 / 자전거를 타러 갈 거다 / 비가 오다 / 집에서 책을 읽을 거다
가: 내일 자전거를 타러 갈 거**예요?**
나: 네, 날씨가 맑**으면** 자전거를 타러 갈 거**예요. 하지만** 비가 오**면** 집에서 책을 읽을 거**예요.**

1) 오늘 쇼핑을 할 거다
   값이 싸다 / 모자와 신발을 살 거다 / 값이 비싸다 / 모자만 살 거다
2) 버스를 타고 올 거다
   길이 안 막히다 / 버스를 타고 갈 거다 / 길이 막히다 / 지하철을 타고 갈 거다
3) 태권도를 배울 거다
   재미있다 / 태권도를 배우고 싶다 / 어렵다 / 수영을 배우고 싶다

연습하기5

- 선배
- 소식
- 싣다
- 묻다
- 혼자
- 믿다
- 정보
- 얻다
- 옛날
- 김치
- 땅
- 묻다

1. 다음과 같이 이야기해 보십시오.

> **선배가 결혼하다**
> **저도 그 소식을 듣다**
> 가: 선배가 결혼해**요?**
> 나: 저도 그 소식을 들**었어요.**

1) 가방이 어디에 있다
   제가 가방을 차에 싣다
2) 친구가 무엇을 질문했다
   전화번호를 묻다
3) 혼자 공원을 걷다
   아니요, 친구랑 같이 걷다

2. 다음과 같이 이야기해 보십시오.

> **음악을 듣다 / 요리를 하다**
> 가: 음악을 듣**고** 요리를 해**요.**

1) 가방을 차에 싣다 / 공항에 갔다
2) 선생님이 묻다 / 학생들이 대답하다
3) 공원에서 1시간 동안 걷다 / 테니스를 쳤다

3. 다음과 같이 이야기해 보십시오.

> **가: 비가 오니까 창문을 닫다 [-(으)세요] → 비가 오니까 창문을 닫으세요.**

1) 부모님이 저를 믿다**[-(으)니까]** 저는 더 열심히 공부합니다. ______________________.
2) 편지를 받다**[-(으)면]** 답장을 보냅니다. → ______________________.
3) 저는 책에서 정보를 얻다**[-아/어/여요].** → ______________________.
4) 옛날에는 김치를 땅에 묻었다**[-(스)ㅂ니다].** → ______________________.

말하기

전화로 약속하기

1. 배운 문법을 활용하여 〈보기〉와 같이 대화해 보십시오.

흐엉 씨	파하드 씨와 오늘 오후에 영화를 보고 싶어 합니다.			
파하드 씨	지금 무엇을 합니까?	오후에 무엇을 할 겁니까?	왜 공부를 합니까?	언제 약속을 합니까?
	식당에서 밥을 먹고 있습니다.	도서관에서 공부를 할 겁니다.	이번 주에 시험이 있습니다. 그래서 바쁩니다.	금요일에 시험이 끝나면 영화를 볼 겁니다.

보기

파하드: 여보세요?
흐 엉: (**파하드 씨**), 지금 뭐 해요?
파하드: 아, (**흐엉 씨**). 지금 (**식당에서 밥을 먹고 있어요**).
흐 엉: (**오후**)에 시간이 있어요? (**시간이 있으면 영화를 보러 갑시다**).
파하드: 미안해요. (**오후에 도서관에서 공부를 할 거예요**).
흐 엉: 아, (**이번 주에 시험이 있지요**)? (**바쁘겠어요**).
파하드: 네, (**금요일에 시험이 끝나요**).
흐 엉: (**시험이 끝나면 영화를 볼까요**)?
파하드: 좋아요. 그럼 (**금요일에 다시 전화해 주세요**).
흐 엉: 네, (**알겠어요**).

2. 친구들과 함께 대화해 보십시오.

나	아멜리 씨와 저녁에 한국 식당에 가고 싶어 합니다.			
친구	지금 무엇을 합니까?	저녁에 무엇을 할 겁니까?	왜 저녁을 먹습니까?	언제 약속을 합니까?
	마트에서 물건을 삽니다.	친구와 저녁을 먹을 겁니다.	내일 친구가 고향에 갑니다. 그래서 기분이 안 좋습니다.	내일 친구가 가면 한국 식당에 갈 겁니다.
나	( )			
친구	지금 무엇을 합니까?	무엇을 할 겁니까?	왜 합니까?	언제 약속을 합니까?

듣고 말하기 143

1. 무엇을 합니까? 이야기해 보십시오.

- 예술회관
- 공연
- 불꽃놀이

2. 다음을 듣고 물음에 답하십시오.

1) 무슨 이야기를 합니까?

2) 들은 내용과 같은 것을 고르십시오. (　　)

① 여자는 이번 주말에 시간이 없습니다.
② 여자는 남자를 공연에 초대했습니다.
③ 두 사람은 오후 2시에 공원 앞에서 만날 겁니다.
④ 두 사람은 불꽃놀이를 구경한 후에 공연을 볼 겁니다.

3. 전화로 초대해 봤습니까? 이야기 해 보십시오.

읽고 말하기

문자 메시지를 읽고 말하기

1. 무엇을 합니까? 이야기해 보십시오.

• 음악회
• 문자 메시지

2. 다음을 읽고 물음에 답하십시오.

자르갈 씨, 저 흐엉이에요.
이번 주 토요일에 뭐 해요?^^
예술회관에서 음악회를 해요.
시간이 있으면 음악회에 갑시다. 재미있겠지요?
음악회는 3시에 시작하니까 2시에 학교 정문에서 만날까요?
문자 메시지를 보면 답장해 주세요.

Enter

1) 이 글은 어디에서 볼 수 있습니까? (   )

① 편지　② 컴퓨터　③ 텔레비전　④ 휴대전화

2) 이 글의 내용과 같은 것을 고르십시오. (   )

① 자르갈 씨가 문자 메시지를 보냈습니다.
② 흐엉 씨는 음악회에 가고 싶어 합니다.
③ 학교 정문에서 음악회를 볼 겁니다.
④ 음악회는 이번 주 토요일 2시에 합니다.

3. 여러분은 누구에게 어떤 문자 메시지를 보내고 싶습니까? 이야기해 보십시오.

쓰기

1. 문자 메시지를 써 보십시오.

1) 개요를 써 보십시오.

		개요
처음	누구에게 보냅니까?	
가운데	왜 문자 메시지를 보냅니까?	
끝	무엇을 하고 싶습니까?	

2) 위 개요를 바탕으로 글을 써 보십시오.

문화 이해하기

전화 예절

1. 무엇을 하고 있습니까? 이야기해 보십시오.

2. 다음을 읽고 물음에 답하십시오.

> 한국 사람들은 전화를 할 때 예의를 지킵니다.
>
> 한국 사람들은 윗사람에게 전화를 걸면 먼저
> "안녕하세요. 저는 최수지입니다."
> 인사를 하고 이름을 말합니다.
>
> 그리고 통화가 끝나면
> "안녕히 계세요."
> 인사를 합니다. 그리고 기다립니다.
> 윗사람이 먼저 전화를 끊으면 아랫사람이 전화를 끊습니다.

1) 한국 사람들은 어떻게 전화합니까?

2) 여러분 나라 사람들은 윗사람에게 어떻게 전화합니까? 이야기해 보십시오.

- 예의
- 지키다
- 윗사람
- 먼저
- 통화
- 아랫사람

발음 144

받침 'ㄷ': 걷다, 듣다, 묻다, 싣다, 닫다, 믿다
걸으니까, 들어서, 물으면, 실어서, 닫으니까, 믿어서

제12과 약속

준비하기 1
약속 시간을 정하기
V-아/어/여서②, N이어/여서
AV-(으)ㄹ 수(가) 있다/없다

준비하기 2
약속을 변경하고 사과하기
V-(으)ㄹ까요?②, N일까요?
V-(으)ㄹ 거예요②, N일 거예요
AV-(으)ㄹ게요

말하기
약속을 변경하고 다시 약속 시간을 정하기

듣고 말하기
제안을 거절하기

읽고 말하기
이메일로 약속하는 글을 읽고 말하기

쓰기
이메일로 약속하는 글 쓰기

문화 이해하기
'다음에 밥 한번 먹읍시다!'

12 약속

준비하기1 145

약속 시간을 정하기

• 스터디

흐 엉: 여보세요?

자르갈: 흐엉 씨, 저 자르갈이에요.

흐 엉: 아, 자르갈 씨, 제 문자 메시지를 봤지요?

자르갈: 네, 봤어요. 음악회에 초대해 줘서 고마워요.
하지만 이번 주말에는 스터디 모임이 있어서 음악회에 갈 수가 없어요.

흐 엉: 아, 그래요?

자르갈: 네, 미안해요. 흐엉 씨, 다음 주말은 어때요?
이번 주말에는 만날 수 없으니까 다음 주 토요일에 같이 영화를 보러 갈까요?

흐 엉: 네, 좋아요. 그럼 우리 다음 주 토요일에 만납시다.

1. V-아/어/여서②, N이어/여서

1) 한국어 시험에 합격해서 기분이 좋습니다.

2) 주말에 날씨가 좋아서 공원에 자전거를 타러 갔어요.

3) 겨울이어서 눈이 자주 옵니다. / 겨울이라서 눈이 자주 옵니다.

2. AV-(으)ㄹ 수 있다/없다

1) 저는 한국어 책을 읽을 수 있어요.

2) 열심히 공부하면 시험에 합격할 수 있어요.

3) 약속이 있어서 음악회에 갈 수 없어요.

연습하기1

1. 다음과 같이 이야기해 보십시오.

- 감기
- 걸리다
- 늦잠
- 약속
- 휴일
- 복잡하다

축구를 안 하다
비가 오다 / 축구를 안 하다
가: **왜** 축구를 안 해**요?**
나: 비가 **와서** 축구를 안 해**요.**

1) 공원에 가다
 날씨가 좋다 / 공원에 가다
2) 약을 먹다
 감기에 걸렸다 / 약을 먹다
3) 약속 시간에 늦었다
 늦잠을 잤다 / 약속 시간에 늦었다
4) 학교에 안 가다
 휴일이다 / 학교에 안 가다

2. 다음과 같이 이야기해 보십시오.

야구를 좋아하다 / 야구장에 갔다
가: **지난 주말에 뭐 했어요?**
나: 야구를 좋아해**서** 야구장에 갔**어요.**

1) 시험이 있다 / 도서관에서 공부했다
2) 날씨가 너무 더웠다 / 수영장에 갔다
3) 날씨가 흐렸다 / 산에 안 갔다
4) 친구 생일이다 / 생일 선물을 사러 백화점에 갔다

3. 다음과 같이 이야기해 보십시오.

이 책이 재미있다 / 두 번 읽었어요
가: 이 책이 재미있**어서** 두 번 읽었어요.

1) 눈이 오다 / 길이 복잡해요

2) 많이 걷다 / 다리가 아파요

3) 시간이 없다 / 전화를 안 했어요

4) 길이 막히다 / 지하철을 탈까요?

5) 시험이 어렵다 / 열심히 공부하세요

6) 날씨가 덥다 / 냉면을 먹읍시다

연습하기2

1. 다음과 같이 이야기해 보십시오.

테니스를 치다
테니스를 치다
가: 테니스를 칠 **수 있어요?**
나: **네,** 테니스를 칠 **수 있어요.** / **아니요,** 테니스를 칠 **수 없어요.**

1) 자전거를 타다
   자전거를 타다
2) 태권도를 하다
   태권도를 하다
3) 한국 노래를 부르다
   한국 노래를 부르다

2. 다음과 같이 이야기해 보십시오.

• 운전하다
• 운전면허

주말에 같이 영화를 보러 가다
수업이 없다 / 주말에 영화를 보러 가다
가: 주말에 같이 영화를 보러 갈 **수 있어요?**
나: **네,** 수업이 없**어서** 주말에 같이 영화를 보러 갈 **수 있어요.**

1) 내일 같이 옷을 사러 가다
   시험이 끝나다 / 내일 같이 옷을 사러 가다
2) 한국 음식을 요리하다
   지난 수업 시간에 배우다 / 한국 음식을 요리하다
3) 오후에 숙제를 도와주다
   오후에 시간이 있다 / 숙제를 도와주다

3. 다음과 같이 이야기해 보십시오.

오늘 오후에 만나다
바쁘다 / 만나다
가: 오늘 오후에 만날 **수 있어요?**
나: **아니요,** 바빠서 만날 **수 없어요.**

1) 김치를 먹다
   너무 맵다 / 김치를 먹다
2) 이 책을 읽다
   너무 어렵다 / 그 책을 읽다
3) 운전을 하다
   운전면허가 없다 / 운전을 하다
4) 도서관에서 책을 빌리다
   시간이 너무 늦다 / 지금 책을 빌리다

준비하기2 146

약속을 변경하고 사과하기

- 갑자기
- 생기다
- 아마

자르갈: 여보세요?

흐 엉: 자르갈 씨, 저 흐엉이에요.

자르갈: 네, 흐엉 씨, 무슨 일이에요?

흐 엉: 약속 시간을 바꿀 수 있어요? 갑자기 일이 생겨서 다음 주 토요일에 만날 수가 없어요. 미안해요.

자르갈: 아, 그래요? 괜찮아요. 그럼 언제가 괜찮아요?

흐 엉: 다음 주 일요일은 어때요?

자르갈: 아, 네, 좋아요. 다음 주 일요일에 만나요.
그런데 일요일에 극장에 사람이 많을까요?

흐 엉: 네, 아마 극장에 사람이 많을 거예요.
제가 영화표를 미리 예매할게요.

자르갈: 아, 정말요? 고마워요. 그럼 제가 밥을 살게요.

표현

일이 생기다

- 어울리다
- 기차
- 일기예보

3. V-(으)ㄹ까요?②, N일까요?

1) 이 모자가 저에게 어울릴까요?
2) 이번 주말에 날씨가 좋을까요?
3) 기차가 출발했을까요?
4) 이 가방이 파하드 씨의 가방일까요?

4. V-(으)ㄹ 거예요②, N일 거예요

1) 그 모자가 흐엉 씨에게 아주 잘 어울릴 거예요.
2) 일기예보를 봤어요. 이번 주말은 아마 더울 거예요.
3) 3시 기차니까 지금쯤 기차가 출발했을 거예요.
4) 이 가방은 아마 파하드 씨의 가방일 거예요.

5. AV-(으)ㄹ게요

1) 가: 누가 책을 읽을 거예요?
   나: 제가 책을 읽을게요.
2) 가: 내일 흐엉 씨의 생일 파티를 합시다.
   나: 네, 좋아요. 그럼 제가 음식을 만들게요.
3) 가: 집에서 복습하세요.
   나: 네, 집에서 복습할게요.

연습하기3, 4

1. 다음과 같이 이야기해 보십시오.

오위노 / 무슨 운동을 자주 하다
농구를 자주 하다
가: 오위노 **씨가** 무슨 운동을 자주 **할까요?**
나: **아마** 농구를 자주 **할 거예요.**

1) 왕루 / 어디에 가고 싶어 하다
   박물관에 가고 싶어 하다
2) 자르갈 / 무슨 음식을 좋아하다
   순두부찌개를 좋아하다
3) 파하드 / 무슨 선물을 받고 싶어 하다
   소설책을 받고 싶어 하다

- 순두부찌개
- 인기
- 할인

2. 다음과 같이 이야기해 보십시오.

이 영화가 재미있다
요즘 인기가 많다 / 재미있다
가: 이 영화가 재미있**을까요?**
나: 요즘 인기가 많**아요. 아마** 재미있**을 거예요.**

1) 공원에 사람이 많다
   오늘 날씨가 너무 좋다 / 사람이 많다
2) 이 신발이 비싸다
   요즘 백화점에서 할인을 하다 / 비싸지 않다
3) 지성 씨가 시간이 있다
   다음 주에 시험이 있다 / 바쁘다
4) 저 사람이 자르갈 씨의 친구이다
   어제 자르갈 씨의 형이 왔다 / 자르갈 씨의 형이다

• 지우다
• 연락하다

3. 다음과 같이 이야기해 보십시오.

자르갈 씨가 시험을 잘 봤다
열심히 공부했다 / 잘 봤다
가: 자르갈 씨가 시험을 잘 봤**을까요?**
나: 열심히 공부했**으니까** 잘 봤**을 거예요.**

1) 왕루 씨가 어디에 있다
수업 시간이다 / 교실에 있다
2) 수업이 끝났다
지금이 12시 반 / 수업이 끝나지 않았다
3) 극장 안에 들어갈 수 있다
영화가 30분 전에 시작했다 / 지금은 극장 안에 들어갈 수 없다
4) 저 사람이 학생이다
한국어 책을 보고 있다 / 학생이다

연습하기5

1. 다음과 같이 이야기해 보십시오.

노래를 부르다
노래를 부르다
가: **누가** 노래를 부를 **거예요?**
나: **제가** 노래를 부**를게요.**

1) 칠판을 지우다
칠판을 지우다
2) 친구들에게 연락하다
친구들에게 연락하다

2. 다음과 같이 이야기해 보십시오.

- 정리하다
- 음료수
- 준비하다
- 예약하다

이번 주말에 영화를 보다 / 영화표를 예매하다
밥을 사다
가: 이번 주말에 영화를 볼**까요? 제가** 영화표를 예매할**게요.**
나: **네, 좋아요. 그럼 저는** 밥을 살**게요.**

1) 오후에 집을 청소하다 / 창문을 닦다
   옷장을 정리하다
2) 다음 주에 공원에 가다 / 김밥을 만들다
   음료수를 준비하다
3) 다음 달에 스키를 타러 가다 / 가르쳐 주다
   스키장을 예약하다

3. 다음과 같이 이야기해 보십시오.

많이 아프면 병원에 가다
많이 아프면 병원에 가다
가: 많이 아프면 병원에 가**세요.**
나: **네,** 많이 아프면 병원에 갈**게요.**

1) 이 책을 도서관에서 빌리다
   그 책을 도서관에서 빌리다
2) 약속 장소에 도착한 후에 전화하다
   도착하면 전화하다

말하기

약속을 변경하고 다시 약속 시간을 정하기

• 버스표

1. 배운 문법을 활용하여 〈보기〉와 같이 대화해 보십시오.

약속 시간을 바꿔요				
파하드	설악산에 갈 거예요	이번 주 토요일 (X)	고향 친구가 오다	버스표를 미리 예매하다
왕루		다음 주 토요일 (O)	·	김밥과 음료수를 준비하다

보기

왕 루: 여보세요?
파하드: **(왕루)** 씨, **(저 파하드예요).**
왕 루: 네, **(파하드)** 씨, 무슨 일이에요?
파하드: 약속 시간을 바꿀 수 있어요?
(이번 주 토요일에 고향 친구가 와서 만날 수가 없어요). 미안해요.
왕 루 : 아, 그래요? 괜찮아요. 그럼 **(다음 주 토요일)**은/는 어때요?
파하드: 좋아요. **(왕루)** 씨, 정말 고마워요.
왕 루: 아니에요. 괜찮아요. 그런데 **(설악산에 사람이 많을까요)?**
파하드: 네, **(요즘 날씨가 좋으니까 설악산에 사람이 많을 거예요).**
제가 **(버스표를 미리 예매할게요).**
왕 루 : 아, 정말요? 고마워요. 그럼 제가 **(김밥과 음료수를 준비할게요).**

2. 친구들과 함께 대화해 보십시오.

약속 시간을 바꿔요				
나	명동	내일 (X)	숙제가 너무 많다	명동역 앞에서 기다리다
친구		모레 (O)	·	도착하면 전화하다
나				
친구				

듣고 말하기 147

제안을 거절하기

1. 무엇을 합니까? 이야기해 보십시오.

• 글쎄
• 나중

2. 다음을 듣고 물음에 답하십시오.

1) 무슨 이야기를 합니까?

2) 들은 내용과 같은 것을 고르십시오. (　　)

① 두 사람은 내일 만나지 않을 겁니다.
② 남자는 영화표를 미리 예매했습니다.
③ 여자는 일이 생겨서 약속을 취소했습니다.
④ 두 사람은 다음 주말에 다시 만날 겁니다.

3. 약속을 거절하고 싶으면 어떻게 말합니까? 이야기를 해 보십시오.

읽고 말하기

이메일로 약속하는 글을 읽고 말하기

- 보내는 사람
- 받는 사람
- 제목
- 난타
- 입장권
- 공연장

1. 무엇을 합니까? 이야기해 보십시오.

2. 다음을 읽고 물음에 답하십시오.

➡보내기 | 미리보기 | 임시저장

보내는 사람 **오위노**〈owino@inha.ac.kr〉

받는 사람 **왕루**〈wangru@inha.ac.kr〉 ✚ 주소록

제목 **왕루 씨, 잘 지내요?** ✚ 주소록

왕루 씨, 잘 지내고 있어요?

저는 잘 지내요. 요즘 대학원 공부가 어려워서 조금 힘들어요. 하지만 재미있어요. 왕루 씨는 한국어 공부가 어때요?

다음 주 금요일 저녁 7시에 예술회관에서 난타 공연을 해요. 저는 왕루 씨랑 같이 공연을 보러 가고 싶어요. 다음 주 금요일 저녁에 시간이 있어요?

왕루 씨가 같이 갈 수 있으면 제가 미리 입장권을 예매할게요. 답장 기다릴게요.

➡보내기 | 미리보기 | 임시저장

보내는 사람 **왕루**〈wangru@inha.ac.kr〉

받는 사람 **오위노**〈owino@inha.ac.kr〉 ✚ 주소록

제목 **오위노 씨, 이메일 고마워요.** ✚ 주소록

오위노 씨, 이메일 잘 받았어요. 연락해 줘서 정말 고마워요.

저는 요즘 한국어를 열심히 공부하고 있어요. 반 친구들이 도와줘서 한국어 공부가 많이 어렵지 않아요. 재미있어요.

다음 주 금요일에 오위노 씨와 함께 공연을 보러 갈 수 있어요. 금요일 저녁이어서 공연장에 사람들이 많고 복잡할 거예요. 그러니까 공연이 시작되기 전에 좀 일찍 만날까요? 6시에 예술회관 앞에서 만납시다. 그럼 연락 기다릴게요.

• 그러니까

1) 오위노 씨는 왜 이메일을 보냈습니까?

① 대학원 공부가 어려워서　② 한국어 공부를 도와주려고
③ 왕루 씨를 공연에 초대하려고　④ 금요일 저녁에 시간이 있으니까

2) 이 글의 내용과 다른 것은 무엇입니까?

① 오위노 씨는 왕루 씨와 공연을 보고 싶어 합니다.
② 왕루 씨는 오위노 씨와 같이 공연을 보러 갈 겁니다.
③ 오위노 씨는 왕루 씨의 답장을 보고 입장권을 예매할 겁니다.
④ 왕루 씨는 공연장이 복잡하니까 공연 2시간 전에 만나고 싶어 합니다.

3. 여러분은 이메일로 친구와 약속을 해 봤습니까?

쓰기

1. 이메일을 읽고 답장을 써 보십시오.

보내는 사람 **박지성** 〈jisung@inha.ac.kr〉

받는 사람 **아멜리** 〈ameli@inha.ac.kr〉 ✚ 주소록

제목 **아멜리 씨, 잘 지내요?** ✚ 주소록

아멜리 씨, 잘 지내요? 한국 생활이 어때요?

저는 아주 잘 지내고 있어요. 요즘 많이 바빠서 연락을 할 수 없었어요. 미안해요. 하지만 어제 시험이 끝나서 지금은 시간이 많이 있어요.

다음 주 토요일 오후에 시간이 있어요? 저는 아멜리 씨와 같이 영화를 보러 가고 싶어요. 영화가 아주 재미있을 거예요.

아멜리 씨가 같이 갈 수 있으면 제가 미리 영화표를 예매할게요. 영화는 5시와 7시에 해요. 언제가 좋아요? 답장 기다릴게요.

1) 개요를 써 보십시오.

개요		
처음	한국 생활이 어떻습니까?	
가운데	다음 주 토요일에 시간이 있습니까? 몇 시에 영화를 보고 싶습니까?	
끝	영화를 보기 전 / 본 후에 무엇을 하고 싶습니까?	

2) 위 개요를 바탕으로 글을 써 보십시오.

➡보내기 미리보기 임시저장

보내는 사람 **아멜리** 〈ameli@inha.ac.kr〉

받는 사람 **박지성** 〈jisung@inha.ac.kr〉 ✚ 주소록

제목 ✚ 주소록

문화 이해하기

'다음에 밥 한번 먹읍시다!'

1. 무엇을 합니까? 이야기해 보십시오.

2. 다음을 읽고 이야기해 보십시오.

제 이름은 비사이입니다. 저는 캄보디아에서 왔습니다. 작년에 한국에 와서 1년 6개월 동안 살았습니다. 아직 한국 생활에 익숙하지 않습니다. 하지만 대학교에서 한국 친구들도 많이 사귀어서 한국 생활에 적응했습니다. 그런데 가끔 친구들의 말을 이해할 수 없습니다.

지난주에 도서관 앞에서 우연히 친구를 만났습니다. 그 친구와 자주 만날 수 없어서 정말 반가웠습니다. 인사도 하고 안부도 물어봤습니다. 이야기를 한 후에 친구가 말했습니다.

"비사이 씨, 다음에 밥 한번 먹읍시다."

친구의 말을 듣고 기분이 좋아서 대답했습니다.

"네, 좋아요. 언제 먹을까요? 저는 오늘 5시에 수업이 끝나요."

친구는 잠시 말이 없었습니다. 그리고 웃으면서 다시 말했습니다.

"음… 다음에 시간이 있으면 밥을 먹읍시다. 제가 연락할게요."

저는 계속 기다렸습니다. 하지만 전화가 오지 않았습니다.

1) 비사이 씨는 왜 당황했습니까?

2) 여러분 나라에는 어떤 인사가 있습니까? 이야기해 보십시오.

- 익숙하다
- 사귀다
- 적응하다
- 가끔
- 우연히
- 안부
- 한번
- 대답하다
- 잠시
- 말
- 계속

발음 148

받침 'ㄳ': 삯,
삯이

받침 'ㄺ': 닭, 읽다,
닭이, 읽어서

제13과 교통

준비하기 1
교통편을 묻기
AV-아/어/여요②
N(으)로②
ㄹ 동사

준비하기 2
길을 찾기
V-거나, N(이)나
못 AV / AV-지 못하다

말하기
목적지까지 가는 방법을 추천하기

듣고 말하기
지도에서 목적지를 찾기

읽고 말하기
목적지에 가는 글을 읽고 말하기

쓰기
목적지에 가는 글 쓰기

문화 이해하기
한국의 대중교통

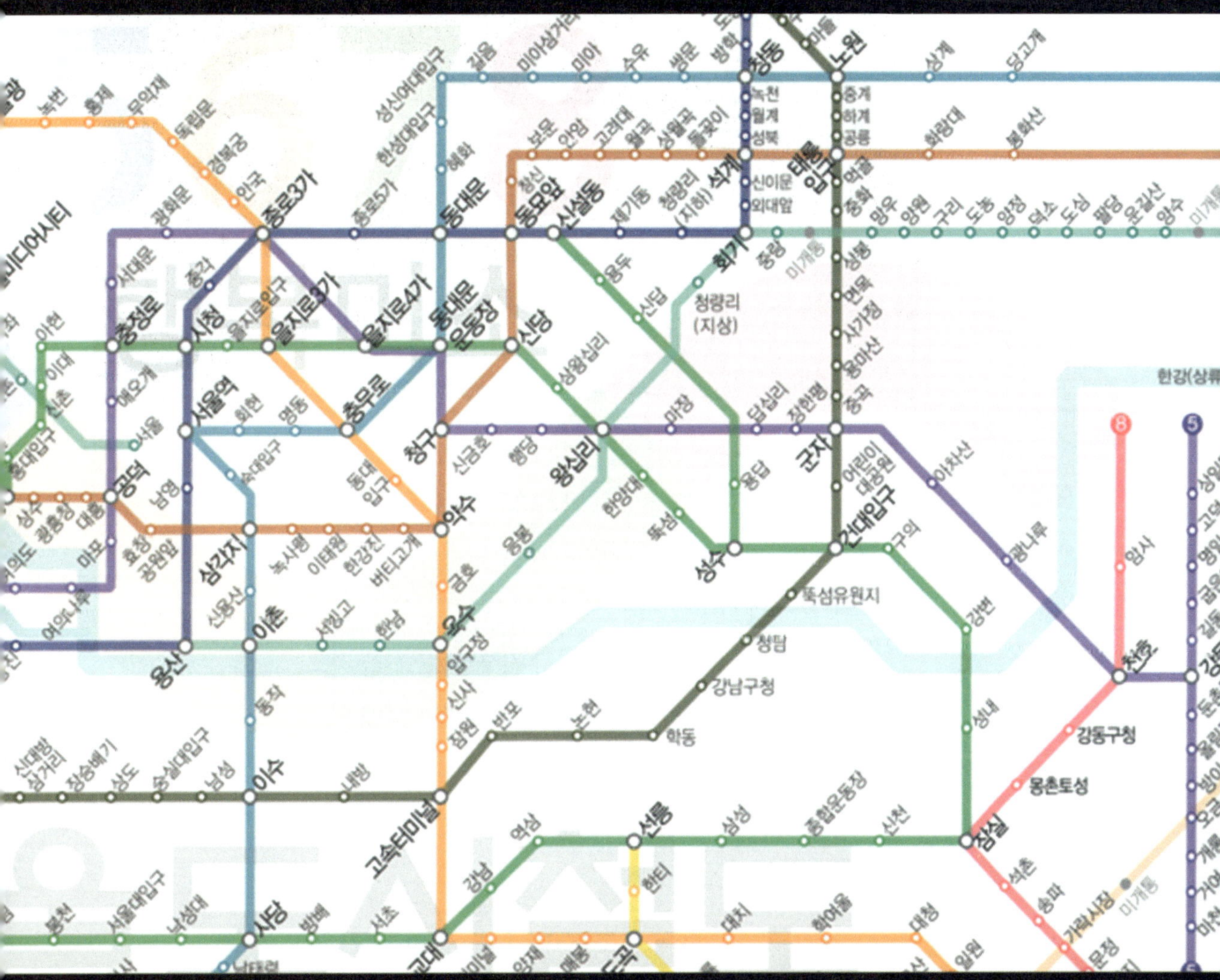

녹번
홍제
무악재
독립문
경복궁
안국
종로3가
종로5가
동대문
동묘앞
신설동
광화문
서대문
충정로
시청
을지로입구
을지로3가
을지로4가
동대문운동장
신당
서울역
회현
명동
충무로
청구
약수
금호
옥수
공덕
애오개
마포
효창공원앞
삼각지
숙대입구
녹사평
이태원
한강진
버티고개
신용산
이촌
서빙고
한남
용산
동작
이수
내방
남성
총신대입구
상도
장승배기
고속터미널
신사
잠원
반포
논현
학동
강남구청
청담
뚝섬유원지
건대입구
구의
강변
성내
잠실
몽촌토성
강동구청
천호
암사
광나루
아차산
군자
어린이대공원
성수
뚝섬
한양대
왕십리
상왕십리
행당
신금호
응봉
마장
답십리
장한평
용답
신답
용두
제기동
청량리(지하)
청량리(지상)
회기
석계
신이문
외대앞
태릉입구
먹골
중화
상봉
면목
사가정
용마산
중곡
망우
양원
구리
도농
양정
덕소
도심
팔당
운길산
양수
미개통
노원
상계
당고개
중계
하계
공릉
화랑대
봉화산
창동
녹천
월계
성북
보문
안암
고려대
월곡
상월곡
돌곶이
창신
혜화
한성대입구
성신여대입구
길음
미아삼거리
미아
수유
쌍문
방학
선릉
삼성
종합운동장
신천
역삼
강남
한티
교대
서초
방배
사당
낙성대
서울대입구
봉천
매봉
도곡
대치
학여울
대청
일원
석촌
송파
가락시장
문정
한강(상류)

13 교통

준비하기1 149

- 행인
- 정류장
- 내리다
- 호선
- 갈아타다
- 걸리다

자르갈: 실례합니다. 명동에 어떻게 가요?
행 인: 음, 지금은 길이 많이 막히니까 지하철로 가세요.
자르갈: 지하철역이 어디에 있어요?
행 인: 여기에서 10번 버스를 타고 가면 주안역이 있어요.
주안역 정류장에서 내려서 지하철 1호선을 타요.
그리고 서울역에서 4호선으로 갈아탄 후에 명동역에서 내려요.
자르갈: 여기에서 명동역까지 얼마나 걸릴까요?
행 인: 아마 1시간쯤 걸릴 거예요.
자르갈: 아, 정말 감사합니다.

표현

걸어서 가다
N을/를 타고 가다, N에서 타다, N에서 내리다
N에서 N으로 갈아타다
N에서 N까지 N이/가 걸리다, N쯤[정도] 걸리다
어떻게 + AV: 어떻게 가요?
얼마나 + V: 시간이 얼마나 걸려요?

1. AV-아/어/여요②

1) 가: 흐엉 씨, 수업이 끝나면 우리 같이 밥을 먹어요.
   나: 좋아요. 같이 먹읍시다.
2) 가: 여러분, 오늘 숙제는 내일 꼭 가져와요.
   나: 네, 알겠습니다.

- 가져오다
- 열다
- 살다
- 불다

2. N(으)로②

1) 집에서 영화관까지 버스로 10분 걸립니다.
2) 형은 지하철로 회사에 다닙니다.
3) 여기에 볼펜으로 이름을 쓰세요.

3. ㄹ 동사

1) 더우니까 창문을 여세요.
2) 친구와 함께 김밥을 만듭니다.
3) 약속 장소가 머니까 택시를 탑시다.
4) 저는 요즘 한국에서 살아요.
5) 비가 온 후에 바람이 불어요.

연습하기1

1. 다음과 같이 이야기해 보십시오.

아멜리 / 다음 주에 시험을 보다 / 도서관에 가서 공부하다
공부하다
가: 아멜리 **씨,** 다음 주에 시험을 보**니까 우리 같이** 도서관에 가서 공부해**요.**
나: **좋아요. 같이** 공부합**시다.**

1) 오위노 / 날씨가 좋다 / 사진을 찍다
   사진을 찍다
2) 자르갈 / 시험이 끝났다 / 영화를 보러 가다
   영화를 보러 가다
3) 흐엉 / 방학이다 / 부산을 여행하다
   여행하다

2. 다음과 같이 이야기해 보십시오.

교실이 춥다
교실이 춥다 / 창문을 닫다
가: 교실이 추워**요.**
나: 교실이 추우**면** 창문을 닫**아요.**

1) 자리가 없다
   자리가 없다 / 여기에 앉다
2) 약속 시간에 늦었다
   약속 시간에 늦었다 / 택시를 타다
3) 숙제가 집에 있다
   숙제가 집에 있다 / 내일 가지고 오다

연습하기2

1. 다음과 같이 이야기해 보십시오.

한국 / 고향
비행기 / 4시간
가: 한국**에서** 고향**까지 얼마나 걸려요?**
나: 비행기**로** 4시간**쯤 걸려요.**

1) 서울 / 부산
KTX / 2시간 30분
2) 여기 / 백화점
택시 / 10분
3) 인천 / 수원
지하철 / 1시간

- KTX
- 숟가락
- 젓가락

2. 다음과 같이 이야기해 보십시오.

밥을 먹다
숟가락 / 밥을 먹다
가: **무엇으로** 밥을 먹**어요?**
나: 숟가락**으로** 밥을 먹**어요.**

1) 라면을 먹다
젓가락 / 라면을 먹다
2) 마음을 전했다
편지 / 마음을 전했다
3) 사과를 깎을 거다
칼 / 사과를 깎을 거다

연습하기3

• 팔다
• 자르다
• 길다
• 울다

1. 친구와 같이 이야기해 보십시오.

1) 가: 동대문 시장에서 무엇을 팔아요?

나: 동대문 시장에서 옷과 신발과 가방을 ______________. **(팔다) [-(스)ㅂ니다]**

2) 가: 머리를 자를 거예요?

나: 네, 머리가 ______________ 더워서 머리를 자르고 싶어요. **(길다) [-(으)니까]**

3) 가: 오늘 숙제가 뭐예요?

나: 문법을 사용해서 문장을 ______________. **(만들다) [-(으)세요]**

4) 가: 오늘 날씨가 너무 더워요.

나: 더우니까 창문을 ______________ . **(열다) [-(으)ㄹ까요?]**

2. 친구와 같이 이야기해 보십시오.

1) 가: 과일 맛이 어때요?

나: 과일이 아주 ______________. **(달다) [-아/어/여요]**

2) 가: 집이 학교에서 가까워요?

나: 아니요, 집이 학교에서 ______________. **(멀다) [-아/어/여요]**

3) 가: 로빈 씨의 전화번호를 압니까?

나: 네, 로빈 씨의 전화번호를 ______________. **(알다) [-아/어/여요]**

4) 가: 동생이 왜 울었습니까?

나: 다리를 다쳐서 ______________. **(울다) [-았/었/였어요]**

표현

N이/가 N에서 가깝다/멀다: 집이 학교에서 가까워요.
집이 학교에서 멀어요.

준비하기2 150

길을 찾기

• 쪽
• 횡단보도
• 건너다

흐 엉: 실례합니다. 예술회관에 어떻게 가요?
행인1: 버스를 타거나 지하철을 타세요.
흐 엉: 버스는 어디에서 타요?
행인1: 길 건너편에서 8번이나 15번 버스를 타세요.
흐 엉: 네, 고맙습니다.

(버스에서 내려서)

흐 엉: 죄송합니다. 예술회관이 어디에 있어요?
길이 복잡해서 못 찾겠어요.
행인2: 아, 예술회관이요? 여기에서 앞으로 쭉 가면 백화점이 있어요.
백화점 앞에서 횡단보도를 건너면 우체국이 있어요.
우체국 오른쪽에 예술회관이 있어요.
흐 엉: 네, 감사합니다.

표현

-겠-: 알겠어요.
모르겠어요.
길이 복잡해서 못 찾겠어요.

4. V-거나, N(이)나

1) 밤에는 책을 읽거나 음악을 듣습니다.
2) 방학에 고향에 가거나 여행을 할 겁니다.
3) 백화점에서 옷이나 신발을 살 거예요.
4) 주말마다 친구들과 함께 농구나 축구를 해요.

5. 못 AV / AV-지 못하다

1) 저는 스키를 못 타요.
2) 다리를 다쳐서 오늘 학교에 못 갔어요.
3) 이가 아파서 밥을 먹지 못했습니다.
4) 가: 부모님 생일에 왜 고향에 안 갔어요?
   나: 비행기 표가 없어서 못 갔어요.

연습하기4

1. 다음과 같이 이야기해 보십시오.

일요일
공부를 하다 / 운동을 하다
가: 일요일**에 보통 무엇을** 해**요?**
나: 공부를 하**거나** 운동을 해**요.**

1) 아침
책을 읽다 / 신문을 보다
2) 밤
음악을 듣다 / 드라마를 보다
3) 오후
숙제를 하다 / 요리를 하다
4) 주말
쇼핑을 하다 / 친구를 만나다

- 액션
- 코미디
- 녹차
- 게임
- 드라마

2. 다음과 같이 이야기해 보십시오.

주말에 무엇을 하다
책 / 잡지 / 읽다
가: 주말에 무엇을 해**요?**
나: 책**이나** 잡지**를** 읽**어요.**

1) 시간이 있으면 무슨 운동을 하다
배드민턴 / 테니스 / 치다
2) 무슨 영화를 좋아하다
액션 영화 / 코미디 영화 / 좋아하다
3) 커피숍에서 무엇을 자주 마시다
커피 / 녹차 / 자주 마시다
4) 숙제를 한 후에 뭐 하다
전화 / 게임 / 하다

연습하기5

- 피아노
- 고장
- 나다

1. 다음과 같이 이야기해 보십시오.

> **자전거를 타다**
> **자전거를 타다**
> 가: 자전거를 탈 **수 있어요?**
> 나: **아니요,** 자전거를 **못** 타**요.** / **아니요,** 자전거를 타**지 못해요.**

1) 김밥을 만들다
   김밥을 만들다
2) 피아노를 치다
   피아노를 치다
3) 운전하다
   운전하다

2. 다음과 같이 이야기해 보십시오.

> **방학에 여행을 가다**
> **돈이 없다 / 여행을 가다**
> 가: 방학에 여행을 가**요?**
> 나: 돈이 없**어서** 여행을 **못** 가**요.** / 돈이 없**어서** 여행을 가**지 못해요.**

1) 지금 이메일을 보내다
   컴퓨터가 고장이 나다 / 지금 이메일을 보내다
2) 영화를 보러 가다
   너무 바쁘다 / 영화를 보러 가다
3) 주말에 같이 축구하다
   다리를 다치다 / 주말에 같이 축구하다

3. 다음과 같이 이야기해 보십시오.

> **숙제를 안 했다**
> **바쁘다 / 숙제를 했다**
> 가: **왜** 숙제를 안 했**어요?**
> 나: 바쁘**서** 숙제를 **못** 했**어요.** / 바빠**서** 숙제를 하**지 못했어요.**

1) 시험을 안 봤다
   감기에 걸리다 / 시험을 봤다
2) 어제 청소를 안 했다
   시간이 없다 / 청소를 했다

말하기

목적지까지 가는 방법을 추천하기

1. 배운 문법을 활용하여 〈보기〉와 같이 대화해 보십시오.

왕루 씨와 파하드 씨가 이번 주말에 박물관에 갈 겁니다.	
버스	1시간 30분
지하철	50분
택시	비싸다

보기

왕 루: 파하드 씨, (**이번 주말에 박물관에 같이 가요**).
파하드: 좋아요. 같이 갑시다. (**박물관**)에 어떻게 가요?
왕 루: (**박물관**)에 (**버스나 지하철을 타고 가요**).
파하드: 시간이 얼마나 걸려요?
왕 루: (**버스로 가면 1시간 30분쯤 걸려요**).
그리고 (**지하철로 가면 50분쯤 걸릴 거예요**).
파하드: 그럼 (**택시**)로 갈까요?
왕 루: (**택시는 비싸서 못 타요**). (**지하철이 편하니까 지하철을 탑시다**).
파하드: 알겠어요. 그럼 (**지하철을 타고 갑시다**).

2. 친구들과 함께 대화해 보십시오.

1)	다음 달에 부산에 여행을 갈 겁니다.	
	버스	5시간
	KTX	3시간
	비행기	비싸다
2)	( )	

듣고 말하기 151

지도에서 목적지를 찾기

- 대학로
- 지하철
- 노선도
- 급행

1. 여기가 어디입니까? 이야기해 보십시오.

2. 다음을 듣고 물음에 답하십시오.

1) 무슨 이야기를 합니까?

2) 들은 내용과 같은 것을 고르십시오. (   )

① 남자는 오늘 대학로에 갔습니다.
② 대학로는 4호선 서울역 근처에 있습니다.
③ 주안역에서 급행을 타면 1시간 정도 걸립니다.
④ 여자는 지하철 노선도에서 대학로를 찾았습니다.

3. 여러분은 어디에 가고 싶습니까? 친구들에게 이야기해 보십시오.

읽고 말하기

목적지에 가는 글을 읽고 말하기

1. 한국에서 지하철을 타 봤습니까? 어땠습니까?

- 방향
- 직진하다
- 사거리

2. 다음을 읽고 물음에 답하십시오

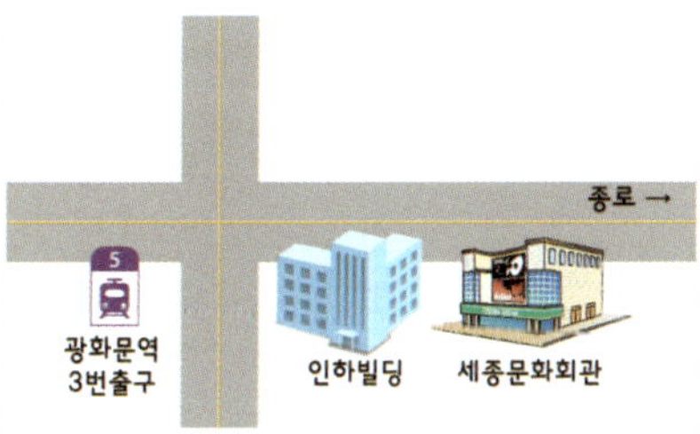

■ **출발 장소**: 주안역
■ **도착 장소**: 세종문화회관
■ **어떻게 가요?** :
주안역에서 1호선을 탑니다.
→ 신길역에서 5호선으로 갈아탑니다.
→ 광화문역에서 내립니다.
→ 종로 방향으로 직진합니다
→ 횡단보도를 건넙니다
→ 인하빌딩 옆에 세종문화회관이 있습니다.
■ **얼마나 걸려요?** :
지하철로 1시간 + 걸어서 10분

오늘 난타 공연을 보러 세종문화회관에 갑니다. 주안역에서 지하철 1호선을 타고 신길역에서 내립니다. 그리고 신길역에서 지하철 5호선으로 갈아타고 광화문역에서 내립니다. 주안역에서 광화문역까지 지하철로 1시간쯤 걸립니다.

광화문역에서 종로 방향으로 직진합니다. 걸어서 간 후에 첫 번째 사거리에서 횡단보도를 건넙니다. 거기에 인하빌딩이 있습니다. 인하빌딩 옆에 세종문화회관이 있습니다. 광화문역에서 세종문화회관까지 걸어서 10분쯤 걸립니다.

1) 무엇에 대한 이야기입니까? 알맞은 것을 고르십시오. (　　)

① 공연 시간　② 공연 장소　③ 가는 방법　④ 가는 방향

2) 이 글의 내용과 같은 것을 고르십시오. (　　)

① 인하빌딩에서 공연을 봅니다.
② 신길역에서 세종문화회관까지 걸어갑니다.
③ 인하빌딩은 세종문화회관 건너편에 있습니다.
④ 주안역에서 광화문역까지 1시간쯤 걸립니다.

3. 여러분은 한국에서 어디에 가 봤습니까? 어떻게 갔습니까?

쓰기

1. 공연장을 찾아 가는 방법에 대한 글을 써 보십시오.

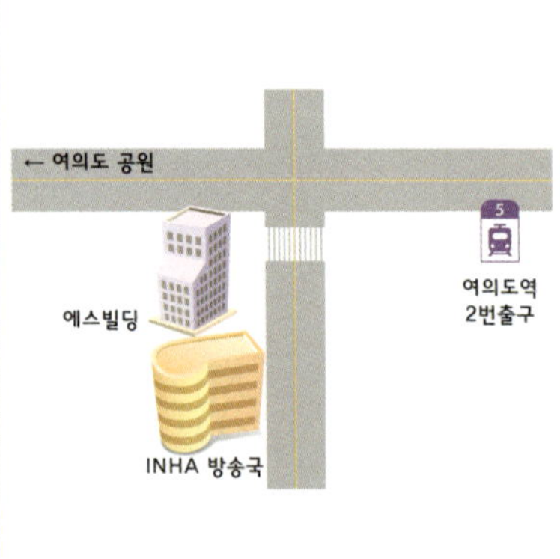

- **출발 장소**: 주안역
- **도착 장소**: 공연장
- **어떻게 가요?**: 주안역에서 1호선을 탑니다.
  → 신길역에서 5호선으로 갈아탑니다.
  → 여의도역에서 내립니다.
  → 여의도 공원 방향으로 직진합니다.
  → 횡단보도를 건넙니다.
  → 에스빌딩 옆에 INHA방송국이 있습니다.
  → INHA 방송국 안에 공연장이 있습니다.
- **얼마나 걸려요?**:
  지하철로 1시간 10분 + 걸어서 15분

1) 개요를 써 보십시오.

개요		
처음	어디에 갑니까?	
가운데	어떻게 갑니까?	
끝	얼마나 걸립니까?	

2) 위 개요를 바탕으로 글을 써 보십시오.

문화 이해하기

한국의 대중교통

1. 무엇입니까? 이야기해 보십시오.

- 대중교통
- 이용하다
- 현금
- 교통 카드
- 단말기
- 대다
- 전국

2. 다음을 읽고 물음에 답하십시오.

한국의 대중교통에는 지하철, 버스, 택시가 있습니다. 한국 사람들은 대중교통을 이용해서 회사나 학교에 갑니다. 대중교통은 현금이나 교통 카드를 사용합니다. 그러나 요즘은 교통 카드를 많이 사용합니다. 버스를 타면 교통 카드를 카드 단말기에 댑니다. 그리고 내리기 전에 다시 교통 카드를 카드 단말기에 댑니다. 교통 카드는 전국에서 사용할 수 있습니다. 한국에서는 교통 카드를 이용하면 아주 편리합니다.

1) 한국 사람들은 어떤 대중교통을 사용합니까?

2) 여러분 나라의 대중교통에는 무엇이 있습니까? 이야기해 보십시오.

발음 152

받침 'ㄵ': 앉다.
앉아요, 앉습니다

받침 'ㄶ': 많다, 괜찮다.
많아요, 많습니다, 괜찮아요, 괜찮습니다

제14과 공공장소

준비하기 1
은행에서 통장을 만들기
AV-(으)려고 하다
N께서, N께서는
V-(으)시-, N(이)시-

준비하기 2
우체국에서 소포를 보내기
V-아/어/여야 되다/하다
AV-지 말다

말하기
공공장소에서 직원에게 정보를 묻기

듣고 말하기
박물관 안내 방송을 듣고 말하기

읽고 말하기
도서관 이용 안내문을 읽고 말하기

쓰기
교실 규칙을 쓰기

문화 이해하기
한국의 박물관과 민속촌

ORDINARY MAIL, REGISTERED MAIL & PARCELS
예금상담
신용카드

14 공공장소

준비하기1 153

은행에서 통장을 만들기

- 고객
- 통장
- 외국인 등록증
- 여권
- 현금카드
- 바로

직　원: 고객님, 안녕하십니까?

자르갈: 네, 안녕하세요.

직　원: 어떻게 오셨습니까?

자르갈: 통장을 만들려고 해요. 어떻게 하면 만들 수 있습니까?

직　원: 아, 통장을 만드실 겁니까?

고객님께서 외국인 등록증이나 여권을 주시면 바로 만드실 수 있습니다.

자르갈: 네, 외국인등록증 여기 있습니다.

직　원: 고객님, 현금카드도 함께 만드시겠습니까?

자르갈: 네, 현금카드도 만들어 주세요.

표현

어떻게 오셨습니까?

1. AV-(으)려고 하다

1) 주말에 집에서 책을 읽으려고 합니다.

2) 내일 친구와 함께 도서관에 가려고 해요.

3) 내년에 대학교를 졸업하면 고향에 돌아가서 결혼하려고 합니다.

4) 다음 달부터 태권도를 배우려고요.

2. N께서, N께서는

1) 아버지께서 집에 계십니다.

2) 할머니께서 주무시니까 조용히 하세요.

3) 어머니께서는 비빔밥을 드십니다.

3. V-(으)시-, N(이)시-

1) 할아버지께서 신문을 읽으십니다.

2) 선생님께서 한국어를 가르치십니다.

3) 아버지께서는 키가 아주 크십니다.

4) 부모님께서 이번 주말에 한국에 오셨어요.

5) 이 분이 제 한국어 선생님이세요.

✓ N(이)시어요 → N(이)세요

선생님이시어요. → 선생님이세요.

아버지시어요.→ 아버지세요.

• 조용히

연습하기1

1. 다음과 같이 이야기해 보십시오.

- 취직하다
- 뮤지컬
- 경제

주말 / 뭐 하다
주말 / 공원에서 사진을 찍다
가: 주말**에** 뭐 **할 거예요?**
나: 주말**에** 공원에서 사진을 찍**으려고 해요.**

1) 내일 / 누구를 만나다
   내일 / 고향 친구를 만나다
2) 방학 / 어디에 가다
   방학 / 친구와 함께 제주도에 가다
3) 내년 / 무엇을 하다
   내년 / 한국 회사에 취직하다

2. 다음과 같이 이야기해 보십시오.

이번 주 토요일 / 무슨 운동을 배우다
수영을 배우다
가: 이번 주 토요일**에** 무슨 운동을 배우**려고 해요?**
나: 수영을 배우**려고요.**

1) 오늘 / 무슨 음식을 먹다
   갈비탕을 먹다
2) 다음 달 / 무슨 공연을 보다
   뮤지컬 공연을 보다
3) 대학 입학 후 / 무슨 공부를 하다
   경제 공부를 하다

연습하기2

1. 다음과 같이 이야기해 보십시오.

선생님 / 어디에 계시다
선생님 / 교실에 계시다
가: 선생님**께서** 어디에 계**세요?**
나: 선생님**께서는** 교실에 계**십니다.**

1) 할아버지 / 무엇을 드시다
   할아버지 / 불고기를 드시다
2) 아버지 / 어디가 편찮으시다
   아버지 / 머리가 아프시다
3) 할머니 / 언제 돌아가셨다
   할머니 / 작년에 돌아가셨다
4) 어머니 / 무엇을 하시다
   어머니 / 방에서 주무시다

높임말

계시다
드시다, 잡수시다
주무시다
말씀하시다
편찮으시다, 아프시다
돌아가시다

연습하기3

- 소포
- 진지
- 생신
- 연세
- 댁
- 말씀

1. 다음과 같이 이야기해 보십시오.

어머니 / 어디에 가다
어머니 / 시장에 가다
가: 어머니**께서** 어디에 가**십니까?**
나: 어머니**께서는** 시장에 가**십니다.**

1) 어머니 / 무엇을 찾다
   어머니 / 휴대전화를 찾다
2) 아버지 / 무엇을 보내다
   아버지 / 우체국에서 소포를 보내다
3) 할아버지 / 무엇을 듣다
   할아버지 / 방에서 라디오를 듣다
4) 부모님 / 무슨 음식을 좋아하다
   부모님 / 불고기를 좋아하다

2. 다음과 같이 이야기해 보십시오.

가: 동생이 밥을 먹습니다. → 나: (할아버지) **할아버지**께서 **진지**를 **드십**니다.

1) 오늘은 친구의 생일이에요. → (아버지)

2) 언니의 나이는 20살이에요. → (어머니)

3) 형은 집에서 잡니다. → (할머니)

4) 오빠가 말합니다. → (할아버지)

준비하기2 154 우체국에서 소포를 보내기

왕 루: 지성 씨, 안녕하세요?

박지성: 어! 왕루 씨, 오랜만이에요. 왕루 씨도 소포를 보내러 왔어요?

왕 루: 네, 다음 주가 여동생의 생일이어서 생일 선물을 보내려고 해요.
그런데 어떻게 보내요?

박지성: 아, 먼저 이 상자에 선물을 넣으세요.
선물을 넣은 후에 상자에 주소와 전화번호, 이름을 써야 해요.

왕 루: 한국어로 써야 해요?

박지성: 이 소포를 어느 나라로 부치려고 해요?

왕 루: 중국으로 보내려고 해요.

박지성: 그럼 한국어로 쓰지 마세요. 영어나 중국어로 써야 해요.

- 오랜만
- 상자
- 부치다

• 가볍다

4. V-아/어/여야 되다/하다

1) 곧 영화가 시작하니까 자리에 앉아야 돼요.
2) 감기에 걸렸으니까 약을 먹어야 해요.
3) 신발은 가벼워야 됩니다.
4) 약속 시간에 늦지 않아야 해요.

5. AV-지 말다

1) 도서관에서 음식을 먹지 마십시오.
2) 수업 시간에 지각하지 마세요.
3) 극장에서 휴대폰을 켜지 말고 끄세요.

연습하기4

1. 다음과 같이 이야기해 보십시오.

내일 등산을 하다
등산화를 신다
가: 내일 등산을 할 **거예요. 무엇을 준비해야 돼요?**
나: 등산화를 신**어야 해요.**

1) 내일 친구의 생일 파티를 하다
생일 케이크를 사다
2) 모레 한국어 시험을 보다
한국어 책을 많이 읽다
3) 주말에 부모님께서 오시다
집을 청소하다

- 등산화
- 신다
- 아이스크림
- 차갑다
- 전자사전
- 걱정
- 살
- 찌다
- 스트레스

2. 다음과 같이 이야기해 보십시오.

집 / 깨끗하다
가: 집**은** 깨끗해**야 됩니다.**

1) 음식 / 맛있다
2) 아이스크림 / 차갑다
3) 전자사전 / 편리하다

3. 다음과 같이 이야기해 보십시오.

아침마다 늦게 일어나다
밤에 늦게 자다
가: 아침마다 늦게 일어나**서 걱정이에요.**
나: 밤에 늦게 자**지 않아야 돼요.** / 밤에 늦게 **안** 자**야 해요.**

1) 요즘 살이 많이 찌다
밤에 많이 먹다
2) 밤에 잠을 잘 못 자다
스트레스를 받다
3) 한국어 말하기 시험이 어렵다
수업 시간에 고향 말을 사용하다

연습하기5

• 피우다
• 발표하다
• 서다
• 쓰레기
• 버리다

1. 다음과 같이 이야기해 보십시오.

극장 / 사진을 찍다
극장 / 사진을 찍다
가: 극장**에서** 사진을 찍**을 수 있어요?**
나: **아니요,** 극장**에서** 사진을 찍**지 마세요.**

1) 화장실 / 담배를 피우다
 화장실 / 담배를 피우다
2) 박물관 안 / 음식을 먹다
 박물관 안 / 음식을 먹다

2. 다음과 같이 이야기해 보십시오.

창문을 열다
춥다 / 창문을 열다 / 닫다
가: 창문을 열**까요?**
나: **아니요,** 추우**니까** 창문을 열**지 말고** 닫**아 주세요.**

1) 에어컨을 끄다
 덥다 / 에어컨을 끄다 / 켜다
2) 자리에 앉다
 발표해야 하다 / 자리에 앉다 / 서다
3) 공연장에 들어가다
 친구가 곧 도착할 거다 / 공언장에 들이가디 / 기디리다

3. 다음과 같이 이야기해 보십시오.

도서관에서 전화를 하다
도서관에서는 조용히 하다 / 도서관에서 전화를 하다
가: 도서관에서 전화를 하**고 싶어요. 괜찮아요?**
나: **아니요,** 도서관에서는 조용히 **해야 해요.** 도서관에서 전화를 하**지 마세요.**

1) 수업 시간에 게임을 하다
 수업 시간에는 열심히 공부하다 / 수업 시간에 게임을 하다
2) 도서관에서 음악을 듣다
 도서관에서는 조용히 하다 / 도서관에서 음악을 듣다
2) 산에 쓰레기를 버리다
 산에서는 쓰레기를 집으로 가져오다 / 산에 쓰레기를 버리다

말하기

공공장소에서 직원에게 정보를 묻기

1. 배운 문법을 활용하여 〈보기〉와 같이 대화해 보십시오.

• 기능
• EMS

은행				
직원	·	통장과 외국인 등록증을 주다	현금카드의 교통카드 기능도 사용하다	·
왕루	현금카드를 만들다	·	·	교통카드 기능을 넣다(X)

보기

직원: 안녕하십니까?
왕루: 네, 안녕하세요.
직원: 어떻게 오셨습니까?
왕루: (**현금카드를 만들려고 해요**). 어떻게 해야 돼요?
직원: 아, (**현금카드를 만드실 겁니까**)?
고객님께서 (**통장과 외국인 등록증을 주시면 바로 만드실 수 있습니다**).
왕루: 아, 여기 있습니다.
직원: 고객님, (**현금카드의 교통카드 기능도 사용하시겠습니까**)?
왕루: (**아니요, 교통카드 기능은 넣지 말아 주세요**).
직원: 네, 알겠습니다.

2. 친구들과 함께 대화해 보십시오.

	우체국				
1)	나	·	이 상자에 주소, 전화번호, 이름을 쓰다	소포를 EMS로 보내다	·
	친구	소포를 보내다	·	·	EMS로 보내다(X)
	( )				
2)	나				
	친구				

듣고 말하기 155

- 무료
- 어린이
- 주의 사항
- 지하

1. 어디입니까? 이야기해 보십시오.

2. 다음을 듣고 물음에 답하십시오.

1) 무슨 이야기를 합니까?

2) 들은 내용과 같은 것을 고르십시오. (　　)

① 박물관 이용 시간은 평일과 주말이 같습니다.
② 박물관에서 어린이 입장권만 무료입니다.
③ 박물관에서 담배를 피우지 않아야 합니다.
④ 박물관에서 음식을 가져가서 먹을 수 있습니다.

3. 반 친구들과 다음 공공장소의 이용 규칙을 이야기해 보십시오.

1) 도서관
2) 영화관
3) 지하철

읽고 말하기

도서관 이용 안내문을 읽고 말하기

1. 어디입니까? 이야기해 보십시오.

- 안내
- 단
- 휴학생
- 열람실
- 유의 사항
- 떠들다
- 규칙

2. 다음을 읽고 물음에 답하십시오.

도서관 이용 안내

1. 이용 시간
   평　일: 오전 9:00 ~ 오후 9:00 (방학 : 오전 9:00 ~ 오후 5:00)
   토요일: 오전 9:00 ~ 오후 5:00 (방학 : 오전 9:00 ~ 오후 1:00)
2. 도서관은 우리 학교 학생이면 사용할 수 있습니다.
   (단, 휴학생은 도서관 안의 열람실만 이용할 수 있습니다.)
3. 도서관 유의 사항
   1) 도서관 안에서 떠들지 마십시오.
   2) 도서관 안에서 음식을 먹지 마십시오.
   3) 도서관 안에서 전화를 하지 마십시오.
   4) 도서관 안에서 담배를 피우지 마십시오.

1) 이 글은 어디에서 볼 수 있습니까?

2) 이 글의 내용과 같은 것은 무엇입니까? (　　)

① 휴학생은 도서관을 이용할 수 없습니다.
② 도서관 안에서 조용히 전화를 해야 합니다.
③ 도서관 안에서 음료수를 마실 수 있습니다.
④ 도서관은 평일에 12시간 이용할 수 있습니다.

3. 여러분은 도서관을 이용해 봤습니까? 무슨 규칙을 지켜야 합니까?

쓰기

1. 교실 규칙을 써 보십시오.

1) 개요를 써 보십시오.

개요		
처음	수업 시간은 언제부터 언제까지입니까? 교실은 누가 사용합니까?	
가운데	교실에서 지켜야 할 주의사항은 무엇이 있습니까?	
끝	왜 그 주의사항을 지켜야 합니까?	

2) 위 개요를 바탕으로 글을 써 보십시오.

교실 규칙

1. 이용 시간: ______________________________.

2. 교실은 ______________이/가 사용할 수 있습니다.

3. 교실 주의 사항

1) ______________________________.

2) ______________________________.

3) ______________________________.

4) ______________________________.

문화 이해하기

한국의 박물관과 민속촌

1. 어디입니까? 이야기해 보십시오.

- 공공장소
- 여러
- 역사
- 민속촌
- 국립중앙 박물관
- 예술
- 문화
- 교육
- 프로그램
- 체험하다
- 과거
- 모습
- 상상하다
- 다양하다
- 놀이
- 직접

2. 다음을 읽고 이야기해 보십시오.

여러분은 한국에서 어떤 공공장소에 가 봤습니까? 한국에는 여러 공공장소가 있습니다. 한국의 역사와 전통을 알고 싶으면 박물관과 민속촌에 가 보십시오.

국립중앙박물관은 서울 용산에 있습니다. 이곳에서는 한국의 역사와 예술, 문화를 보고 배울 수 있습니다. 그리고 교육 프로그램이 있어서 한국 문화를 체험해 볼 수도 있습니다.

한국민속촌은 경기도 용인에 있습니다. 이곳에서 민속 마을과 전통 물건을 보면 한국의 과거 모습을 상상할 수 있을 겁니다. 그리고 다양한 전통 공연을 보고 전통 놀이를 직접 해 볼 수도 있습니다.

1) 한국의 역사와 전통을 배우는 공공장소는 어디입니까?

2) 여러분 나라에는 어떤 공공장소가 있습니까? 이야기해 보십시오.

발음 156

받침'ㄼ': 넓다, 짧다, 밟다,
넓으니까, 짧으면, 밟아서

받침'ㄾ': 핥다,
핥아서

받침'ㅀ': 싫다,
싫으니까

제15과 건강

준비하기 1
아픈 증상을 말하기
N보다
V-지만, N(이)지만
DV-(으)ㄴ N

준비하기 2
약국에서 약을 사기
AV-아/어도 되다(좋다, 괜찮다)
AV-(으)면 안 되다

말하기
병원에서 진찰을 받기

듣고 말하기
아픈 증상을 설명하는 대화를 듣고 말하기

읽고 말하기
약을 먹는 방법을 읽고 말하기

쓰기
건강에 좋은 생활 습관을 조언하는 글 쓰기

문화 이해하기
한국인의 여가 활동

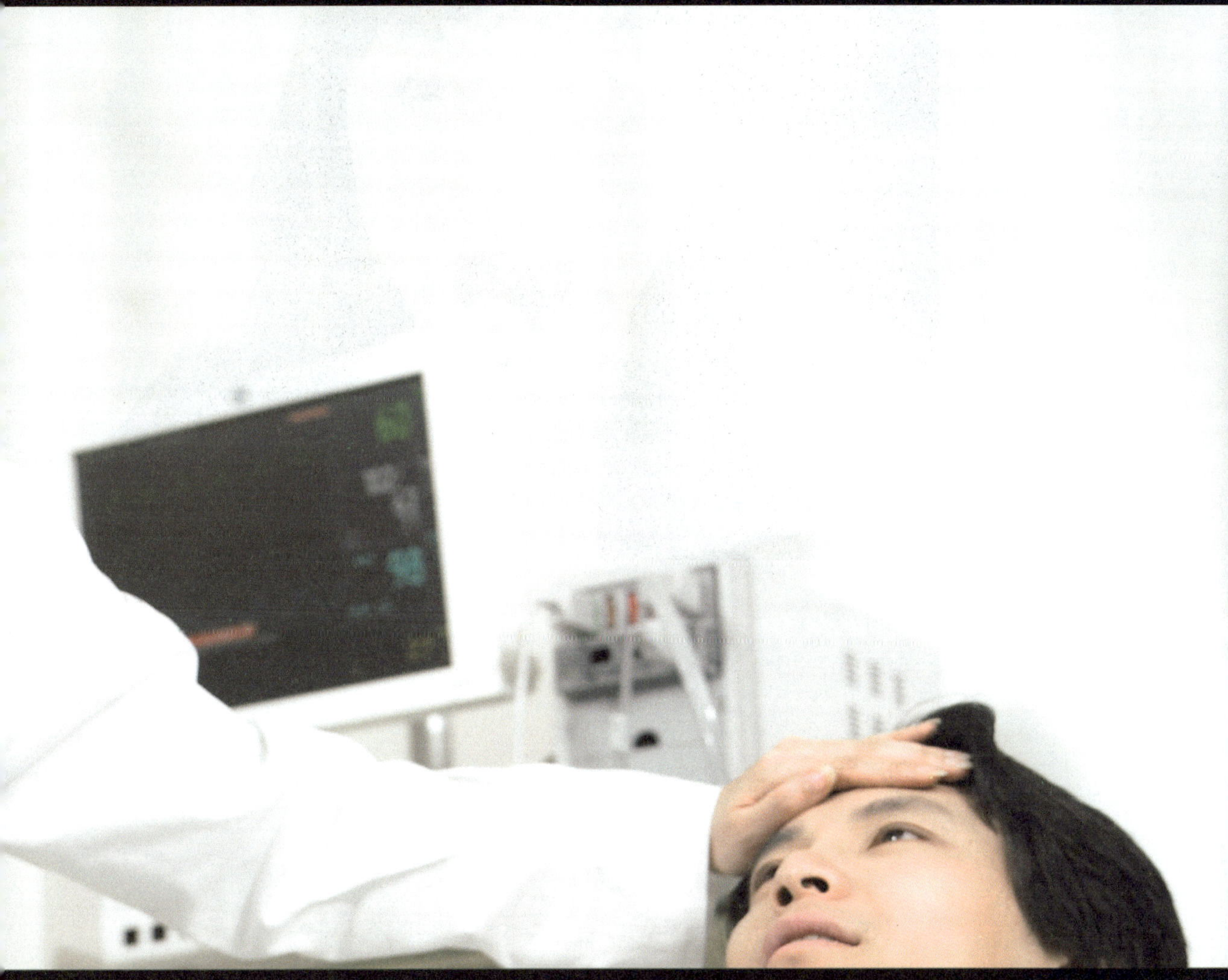

15 건강

준비하기1 157

아픈 증상을 말하기

- 목
- 열
- 더
- 기침
- 콧물
- 처방전
- 푹

의사: 어디가 아프세요?

왕루: 머리가 아프고 목도 아파요.

의사: 열도 나요?

왕루: 네, 오늘이 어제보다 열이 더 많이 나요.

의사: 기침은 안 해요?

왕루: 기침은 안 하지만 콧물이 나요.

의사: 감기예요. 처방전을 써 줄게요. 약을 먹고 푹 쉬세요.

왕루: 네, 근처에 가까운 약국이 어디에 있어요?

의사: 약국은 병원 뒤에 있어요.

왕루: 감사합니다.

1. N보다

1) 왕루 씨가 저보다 한국어를 더 잘해요.
2) 오늘이 어제보다 더 추워요.
3) 떡볶이보다 김밥을 더 좋아해요.
4) 테니스보다 배드민턴이 더 쉬울 거예요.

2. V-지만, N(이)지만

1) 이 식당의 음식은 맛있지만 비싸요.
2) 형은 농구를 좋아하지만 저는 배구를 좋아합니다.
3) 내일 동생이 고향에서 올 거지만 형은 오지 않을 거예요.
4) 열심히 공부했지만 시험에 떨어졌습니다.
5) 은수 씨는 한국 사람이지만 한국어를 못합니다.

3. DV-(으)ㄴ N

1) 작은 목소리로 이야기해 주세요.
2) 키가 큰 사람이 저의 형입니다.
3) 아름다운 노래를 들어서 기분이 좋아요.
4) 이 가게에는 멋있는 옷이 많습니다.

- 배구
- 떨어지다
- 목소리
- 멋있다

연습하기1

1. 다음과 같이 이야기해 보십시오.

- 두껍다
- 얇다
- 높다
- 낮다
- 빠르다

누가 / 사진을 잘 찍다
로빈 씨 / 오위노 씨 / 사진 / 잘 찍다
가: 누가 **더** 사진을 잘 찍**어요?**
나: 로빈 씨**가** 오위노 씨**보다** 사진**을 더** 잘 찍**어요.** /
오위노 씨**보다** 로빈 씨**가** 사진**을 더** 잘 찍**어요.**

1) 누가 / 수영을 잘하다
흐엉 씨 / 파하드 씨 / 수영 / 잘하다
2) 누가 / 책을 많이 읽다
형 / 누나 / 책 / 많이 읽다
3) 무슨 공연을 / 좋아하다
뮤지컬 / 연극 / 좋아하다
4) 어디에 / 자주 가다
운동장 / 도서관 / 자주 가다

2. 다음과 같이 이야기해 보십시오.

사전 / 잡지 / 두껍다 ↔ 얇다
가: 사전**이** 잡지**보다** 두꺼워**요.** / 잡지가 사전보다 얇**아요.**

1) 산 / 건물 / 높다 ↔ 낮다
2) 비행기 / 기차 / 빠르다 ↔ 느리다
3) 봄 / 겨울 / 따뜻하다 ↔ 춥다
4) 운동화 / 구두 / 비싸다 ↔ 싸다

연습하기2

1. 다음과 같이 이야기해 보십시오.

> **한국의 12월은 춥다 / 호주는 덥다**
> 가: 한국의 12월은 춥**지만** 호주는 더워**요.**

1) 소고기는 먹다 / 돼지고기는 안 먹다
2) 갈비탕은 뜨겁다 / 냉면은 차갑다
3) 그 소설은 재미없었다 / 영화는 재미있었다
4) 형은 커피를 마시고 있을 거다 / 누나는 콜라를 마시고 있을 거다

- 호주
- 소고기
- 돼지고기
- 뜨겁다
- 배탈
- 가지다

2. 다음과 같이 이야기해 보십시오.

> **로빈 씨는 영국 사람이다 / 한국어를 잘하다**
> 가: 로빈 씨는 영국 사람**이지만** 한국어를 잘해**요.**

1) 일요일이다 / 학교에 가다
2) 저녁 8시이다 / 밝다
3) 배탈이었다 / 약을 안 먹었다
4) 그 시계는 아버지의 시계였다 / 형이 가지고 있었다

연습하기3

- 깊다
- 시다
- 무섭다
- 색깔

1. 다음과 같이 이야기해 보십시오.

> 가: 산이 높습니다. ⇒ 높은 산입니다.

1) 강이 깊습니다.

2) 신발이 큽니다.

3) 하늘이 맑습니다.

4) 가방이 쌉니다.

5) 콜라가 차갑습니다.

2. 다음과 같이 이야기해 보십시오.

> **음식**
> **달다 + 음식**
> 가: **어떤** 음식**을 좋아해요?**
> 나: 단 음식**을 좋아해요.**

1) 과일
   시다 + 과일
2) 영화
   무섭다 + 영화
3) 날씨
   따뜻하다 + 날씨
4) 색깔
   밝다 + 색깔

표현

어떤 N: 어떤 음식을 좋아해요?

준비하기2 158

- 물약
- 알약
- 간단하다

약사: 어서 오세요.

왕루: 여기 처방전이 있어요.

약사: 네, 잠시 앉아서 기다려 주세요.

(잠시 후)

약사: 왕루 씨. 이 약은 하루에 세 번 식사 후에 드셔야 돼요.
그리고 차가운 음식을 드시면 안 돼요.

왕루: 네, 알겠습니다. 그런데 이 물약은 어떻게 먹어요?

약사: 이 물약도 하루에 세 번씩 알약하고 같이 드세요.

왕루: 운동을 해도 돼요?

약사: 네, 간단한 운동은 해도 돼요.

왕루: 네, 알겠습니다.

표현

N에 N번: 하루에 세 번 드세요.

N씩: 이 문장을 한 번씩 쓰세요.
두 명씩 대화하세요.
1시간마다 10분씩 쉽니다.

4. AV-아/어/여도 되다(좋다, 괜찮다)

1) 죄송하지만 여기에 앉아도 돼요?
2) 수업 시간에 질문해도 돼요.
3) 이 신문을 좀 봐도 됩니까?
4) 이제 집에 가도 됩니다.

5. AV-(으)면 안 되다

1) 이 건물에서 담배를 피우면 안 됩니다.
2) 신발을 신고 들어가면 안 돼요.
3) 무엇을 하면 안 됩니까?
4) 숙제를 안 하면 안 됩니다.

연습하기4

1. 다음과 같이 이야기해 보십시오.

- 경기장
- 그릇
- 진찰

여기에서 사진을 찍다
사진을 찍다
가: 여기에서 사진을 찍**어도 돼요?**
나: **네,** 사진을 찍**어도 돼요.**

1) 이 물을 마시다
   그 물을 마시다
2) 이 컴퓨터를 사용하다
   그 컴퓨터를 사용하다
3) 야구 경기장에서 음식을 먹다
   음식을 먹다

2. 다음과 같이 이야기해 보십시오.

그 신문을 안 보시다 / 제가 보다
보다
가: 그 신문을 안 보시**면** 제가 보**도 될까요?**
나: **네,** 보**세요.**

1) 음식을 다 드셨다 / 그릇을 씻다
   씻다
2) 청소를 다 하셨다 / 창문을 좀 닫다
   닫다
3) 진찰이 다 끝났다 / 이제 집으로 돌아가다
   돌아가다

연습하기5

1. 다음과 같이 이야기해 보십시오.

• 술

극장 안에서 사진을 찍다
사진을 찍다
가: 극장 안에서 사진을 찍**어도 돼요?**
나: **아니요,** 사진을 찍**으면 안 돼요.**

1) 시험 시간에 사전을 보다
   사전을 보다
2) 산에서 담배를 피우다
   담배를 피우다
3) 수업 시간에 휴대폰을 사용하다
   휴대폰을 사용하다
4) 영화관 안에서 전화하다
   전화하다

2. 다음과 같이 이야기해 보십시오.

지하철 안 / 음악을 듣다
음악을 듣다 / 노래를 부르다
가: 지하철 안**에서** 음악을 들**어도 돼요?**
나: 음악을 들**어도 되지만** 노래를 부르**면 안 됩니다.**

1) 공원 / 음식을 먹다
   음식을 먹다 / 음식을 만들다
2) 공연장 안 / 물을 마시다
   물을 마시다 / 음료수를 마시다
3) 비행기 안 / 술을 조금 마시다
   술을 조금 마시다 / 담배를 피우다

말하기

병원에서 진찰을 받기

1. 배운 문법을 활용하여 〈보기〉와 같이 대화해 보십시오.

왕루	기침하다, 콧물이 나다 어제부터 아프다, 오늘이 더 아프다 목이 아프지 않다, 열이 나다 찬 음식을 먹다
의사	감기다 약을 먹고 쉬다, 따뜻한 음식을 먹다

- 차다
- 설사
- 죽

보기

의사: 어디가 아프세요?
왕루: (**기침을 하고 콧물이 나요**).
의사: 언제부터 아팠어요?
왕루: (**어제부터 아팠어요**). (**어제보다 오늘이 더 아파요**).
의사: (**목도 아파요**)?
왕루: (**목은 아프지 않지만 열이 나요**).
의사: (**감기예요**). (**약을 드시고 쉬세요**).
왕루: 네, 알겠습니다. 그런데 (**찬 음식을 먹어도 돼요**)?
의사: (**찬 음식을 드시면 안 됩니다**). (**따뜻한 음식을 드세요**).
처방전을 써 주겠습니다. 약국에서 약을 사서 드세요.

2. 친구들과 함께 대화해 보십시오

1)	나	배가 아프다, 머리가 아프다 어젯밤부터 아프다, 지금이 더 아프다 열이 나지 않다, 설사를 하다 매운 음식을 먹다
	친구	배탈이다 약을 먹고 쉬다, 죽을 먹다
2)	나	
	친구	

듣고 말하기 159 아픈 증상을 설명하는 대화를 듣고 말하기

• 유행

1. 무엇을 합니까? 이야기해 보십시오.

2. 다음을 듣고 물음에 답하십시오.

1) 무슨 이야기를 합니까?

2) 들은 내용과 같은 것을 고르십시오. (　　)

① 남자는 어제 약을 먹고 쉬었습니다.
② 여자는 오늘이 어제보다 더 아픕니다.
③ 여자는 목이 아팠지만 음식을 먹었습니다.
④ 남자는 따뜻한 물을 마시고 죽도 먹을 겁니다.

3. 여러분은 어디가 어떻게 아팠습니까? 친구와 이야기해 보십시오.

읽고 말하기

약을 먹는 방법을 읽고 말하기

1. 무엇입니까? 이야기해 보십시오.

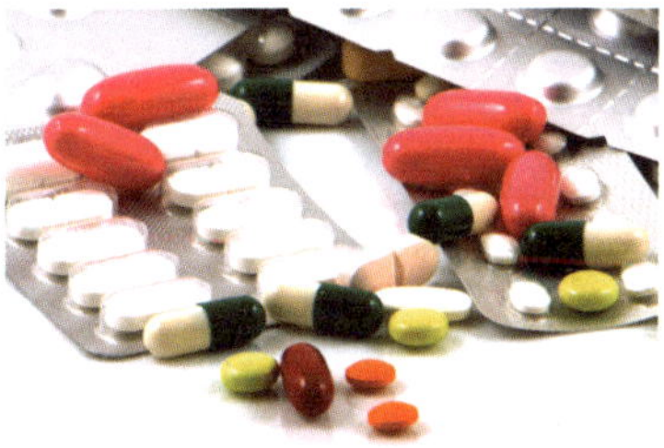

- 식전
- 식후
- 주의
- 임산부
- 게시판
- 습관
- 봉투
- 임신하다

2. 다음을 읽고 물음에 답하십시오.

약

왕루 씨
(21세, □남, ☑여)

하루에 세 번

□ 식전 30분 ☑ 식후 30분 □ 6시간마다

※ 주의 사항
어린이와 임산부는 이 약을 먹지 마십시오.

인하 약국

1) 이 글은 어디에서 볼 수 있습니까? ( )

① 게시판 ② 약 봉투 ③ 처방전 ④ 휴대폰

2) 이 글의 내용과 같은 것을 고르십시오. ( )

① 이 약은 3일에 한 번 먹어야 합니다.
② 이 약은 밥을 먹기 전에 먹습니다.
③ 어린이는 이 약을 먹어도 됩니다.
④ 임신한 사람은 이 약을 먹으면 안 됩니다.

3. 친구들에게 건강을 위한 좋은 습관을 이야기해 보십시오.

쓰기

건강에 좋은 생활 습관을 조언하는 글 쓰기

• 추천하다

1. 건강에 좋은 생활 습관에 대한 글을 보십시오.

1) 개요를 써 보십시오.

개요		
처음	건강에 좋은 습관이 있습니까?	
가운데	무슨 습관입니까? 언제, 어떻게, 얼마나 합니까?	
끝	그것을 하면 무엇이 좋습니까?	

2) 위 개요를 바탕으로 글을 써 보십시오.

문화 이해하기

한국인의 여가 활동

1. 무엇을 합니까? 이야기해 보십시오.

• 여가
• 활동
• 최근
• 봉사

2. 다음을 읽고 물음에 답하십시오.

여가 활동은 '하고 싶어서 하는 활동'입니다. 그래서 여가 활동을 하면 기분이 좋습니다. 과거에 한국 사람들은 여가 활동보다 일을 더 많이 했습니다. 하지만 최근에는 운동, 등산, 봉사 활동, 여행 등 여가 활동을 많이 합니다.

즐거운 여가 활동을 하면 스트레스가 없습니다. 스트레스가 없으면 일도 잘할 수 있습니다.

1) 최근에는 한국 사람들은 어떤 여가 활동을 좋아합니까?

2) 여러분 나라 사람들은 어떤 여가 활동을 좋아합니까? 이야기해 보십시오.

발음 160

받침 'ㄻ': 삶, 앎, 굶다, 닮다, 삶다, 젊다
삶에서, 앎으로, 굶어서, 닮고, 삶는, 젊지요

제16과 가족

준비하기 1
가족을 소개하기
AV-(으)ㄴ/는/(으)ㄹ N, N인 N
V-(으)ㄴ/는데, N인데

준비하기 2
고향 방문을 준비하기
N께
AV-아/어/여 드리다/주시다

말하기
가족사진을 보면서 가족을 소개하기

듣고 말하기
고향을 소개하는 대화를 듣고 말하기

읽고 말하기
부모님께 쓴 편지를 읽고 말하기

쓰기
가족에게 편지를 쓰기

문화 이해하기
한국의 호칭

16 가족

준비하기1 161

가족을 소개하기

- 무역 회사
- 그립다
- 다녀오다
- 기대하다
- 가족사진

파하드: 아멜리 씨, 이게 누구의 사진이에요?
아멜리: 제 가족사진이에요.
파하드: 아, 아멜리 씨의 가족이 모두 4명이에요?
아멜리: 네, 아버지, 어머니, 언니 그리고 저예요.
파하드: 모두 고향에서 살아요?
아멜리: 아니요, 부모님께서는 프랑스에 계시는데 언니는 중국에 있어요. 중국의 무역 회사에서 일을 하고 있어요.
파하드: 가족들이 많이 그립겠어요. 곧 방학인데 고향에 안 가요?
아멜리: 방학에 어머니 생신이 있어서 고향에 다녀오려고 해요.
파하드: 와, 정말 좋겠어요.
아멜리: 네, 저도 기대하고 있어요.

1. AV-(으)ㄴ/는/(으)ㄹ N, N인 N

1) 저기에서 사진을 찍는 사람이 누구예요?

2) 지난번에 산 바지가 조금 작아서 바꾸려고 해요.

3) 방학 동안 여행할 장소를 생각해 보세요.

4) 요즘 읽고 있는 소설책이 아주 재미있어요.

5) 제 친구인 오위노 씨는 대학원생입니다.

• 바지

2. V-(으)ㄴ/는데, N인데

1) 공원에서 사진을 찍는데 갑자기 비가 왔어요.

2) 쇼핑하러 명동에 갈 건데 같이 갈까요?

3) 주말인데 집에만 있지 말고 산책을 해 보세요.

4) 형은 키가 큰데 동생은 키가 작아요.

5) 어제는 너무 바빴는데 오늘은 할 일이 없어서 심심해요.

연습하기1

1. 다음과 같이 이야기해 보십시오.

지금 만나다 + 남자친구
지금 만나다 + 남자친구 / 아주 멋있다
가: 지금 만나**는** 남자친구**가 어때요?**
나: 지금 만나**고 있는** 남자친구**가** 아주 멋있**어요.**

1) 지금 먹다 + 고향음식
   지금 먹다 + 고향음식 / 너무 맛있다
2) 요즘 배우다 + 수영
   요즘 배우다 + 수영 / 조금 어렵다
3) 매일 공부하다 + 한국어
   매일 공부하다 + 한국어 / 조금 어렵지만 재미있다

2. 다음과 같이 이야기해 보십시오.

지난 주말에 먹었다 + 음식
지난 주말에 먹었다 + 음식 / 조금 매웠다
가: 지난 주말에 먹**은** 음식**이 어땠어요?**
나: 지난 주말에 먹**은** 음식**이** 조금 매웠**어요.**

1) 어제 봤다 + 영화
   어제 봤다 + 영화 / 아주 재미있었다
2) 지난달에 갔다 + 바다
   지난달에 갔다 + 바다 / 깨끗하고 아름다웠다
3) 지난 음식 축제에서 만들었다 + 한국 음식
   지난 음식 축제에서 만들었다 + 한국 음식 / 정말 맛있었다

3. 다음과 같이 이야기해 보십시오.

다음 주에 이사할 거다 + 집
다음 주에 이사할 거다 + 집 / 크고 깨끗하다
가: 다음 주에 이사할 집**이 어때요?**
나: 다음 주에 이사할 집**이** 크고 깨끗해**요.**

- 성격
- 학기
- 곳
- 성실하다

1) 내일 만날 거다 + 친구
   내일 만날 거다 + 친구 / 성격이 아주 좋다
2) 다음 달에 다닐 거다 + 스터디 모임
   다음 달에 다닐 거다 + 스터디 모임 / 재미있고 외국인 친구들도 많다
3) 다음 학기에 공부할 거다 + 2급
   다음 학기에 공부할 거다 + 2급 / 아주 재미있다

4. 다음과 같이 이야기해 보십시오.

제 고향 / 프랑스 / 아주 아름다운 곳
가: 제 고향**인** 프랑스**는** 아주 아름다운 곳**입니다.**

1) 제 친구 / 지르갈 씨 / 성실한 학생

2) 제 친구 / ______________ / ______________

3) 제 고향 / ______________ / ______________

연습하기2

1. 다음과 같이 이야기해 보십시오.

- 얼굴
- 싫어하다

도서관에 가다 / 우연히 로빈 씨를 만났다
가: 도서관에 가**는데** 우연히 로빈 씨를 만났**어요.**

1) 요즘 태권도를 배우고 있다 / 정말 재미있다
2) 떡볶이를 처음 먹어 봤다 / 맛있었다
3) 수업 시간이다 / 전화가 와서 못 받았다

2. 다음과 같이 이야기해 보십시오.

열이 많이 나다 / 병원에 가다 [-(으)세요]
가: 열이 많이 나**는데** 병원에 가**세요.**

1) 길이 막히다 / 지하철을 타고 가다 **[-(으)ㄹ까요?]**
2) 날씨가 좋다 / 공원에 산책하러 가다 **[-(으)ㅂ시다]**
3) 방학에 고향에 갈 거다 / 비행기 표를 예매하다 **[-(으)세요]**

3. 다음과 같이 이야기해 보십시오.

그 여자는 얼굴은 예쁘다 / 성격은 안 좋다
가: 그 여자는 얼굴은 예쁘**는데** 성격이 안 좋아**요.**

1) 형은 음악은 좋아하다 / 운동은 싫어하다
2) 그 영화는 무섭다 / 재미있다
3) 열심히 공부했다 / 시험을 잘 못 봤다

준비하기2 162 고향 방문을 준비하기

• 고민
• 감사
• 생각

자르갈: 아멜리 씨, 곧 방학인데 뭐 할 거예요?

아멜리: 방학에 어머니 생신도 있고 부모님도 보고 싶어서 고향에 다녀오려고 해요.

자르갈: 아, 어머니께 드릴 생신 선물은 샀어요?

아멜리: 아니요, 아직 못 샀어요. 빨리 사야 하는데 고민이에요. 어머니께 무슨 선물을 드리면 좋아하실까요?

자르갈: 음……. 생신 선물을 사 드리는 것도 좋지만 생신날에 맛있는 한국 음식을 만들어 드리는 게 어때요? 그리고 어머니께 감사의 편지도 써 드리면 더 좋아하실 거예요.

아멜리: 와! 정말 좋은 생각이에요. 자르갈 씨, 고마워요.

표현

AV-는 게 어때요? (=AV-는 것이 어때요?): 한국 음식을 만드는 게 어때요?

3. N께

1) 저는 매일 부모님께 전화해요.
2) 선생님께 감사의 편지를 드립니다.
3) 이 가방은 아버지께 받은 생일 선물이에요.
4) 할머니께서 어머니께 선물을 받으셨습니다.
5) 할아버지께서 아버지께 선물을 주십니다.

친구에게 선물을 주다
할아버지께 선물을 드리다
내가 친구에게(서) 선물을 받다
내가 어머니께 선물을 받다

4. AV-아/어/여 드리다/주시다

1) 저는 할아버지의 안경을 찾아 드렸습니다.
2) 어머니께서는 제가 자기 전에 책을 읽어 주셨습니다.
3) 저는 부모님께 한국 음식을 만들어 드리고 싶어요.
4) 선생님께서 우리에게 한국 문화를 설명해 주셨습니다.

연습하기3

1. 다음과 같이 이야기해 보십시오.

편지를 쓰다
부모님 / 편지를 쓰다
가: **누구에게** 편지를 써**요?**
나: 부모님**께** 편지를 써**요.**

1) 문자 메시지를 보내다
할머니 / 문자 메시지를 보내다
2) 인사를 했다
선생님 / 인사를 했다
3) 이야기를 할 거다
할아버지 / 이야기를 할 거다

2. 다음과 같이 이야기해 보십시오.

선물을 줄 거다
선생님 / 선물을 줄 거다
가: **누구에게** 선물을 줄 거**예요?**
나: 선생님**께** 선물을 드릴 거**예요.**

1) 신문을 주다
아버지 / 신문을 주다
2) 커피를 줬다
어머니 / 커피를 줬다
3) 책을 빌려 줄 거다
할아버지 / 책을 빌려 줄 거다

3. 다음과 같이 이야기해 보십시오.

편지를 받았다
어머니 / 편지를 받았다
가: **누구에게서** 편지를 받았**어요?**
나: 어머니**께** 편지를 받았**어요.**

1) 전화를 받았다
할아버지 / 전화를 받았다
2) 생일 선물을 받았다
아버지 / 생일 선물을 받았다
3) 이야기를 들었다
선생님 / 이야기를 들었다

4. 다음과 같이 이야기해 보십시오.

어머니 / 할머니 / 안경을 주다
가: 어머니**께서** 할머니**께** 안경을 드**립니다.**

1) 아버지 / 할아버지 / 책을 주다
2) 할머니 / 어머니 / 모자를 주다
3) 선생님 / 어머니 / 음료수를 받다

겸양어

우리 : 저희
묻다: 여쭙다[여쭈다]
데리고 가다: 모시고 가다
만나다: 뵙다
감사하다: 감사드리다
축하하다: 축하드리다
인사하다: 인사드리다
부탁하다: 부탁드리다

연습하기4

1. 다음과 같이 이야기해 보십시오.

아버지 / 사진을 찍다
가: 아버지**께** 사진을 찍**어 드릴 거예요.**

1) 할머니 / 신문을 읽다
2) 부모님 / 선물을 사다
3) 어머니 / 책을 빌리다

• 고치다

2. 다음과 같이 이야기해 보십시오.

어머니 / 고향 음식을 만들다
가: 어머니**께서** 고향 음식을 만들**어 주십니다.**

1) 아버지 / 컴퓨터를 고치다
2) 선생님 / 한국어를 가르치다
3) 할머니 / 옛날 이야기를 하다

3. 다음과 같이 이야기해 보십시오.

선생님의 책 / 들다
가: 선생님의 책**을** 들**어 드렸어요.**

1) 어머니 / 돕다
2) 아버지의 구두 / 닦다
3) 할머니의 방 / 청소하다

4. 다음과 같이 이야기해 보십시오.

아버지 / 할머니 / 옷을 사다
가: 아버지**께서** 할머니**께** 옷을 사 **드립니다.**

1) 어머니 / 할아버지 / 편지를 전하다
2) 할아버지 / 아버지 / 일을 가르치다
3) 할머니 / 저 / 고향의 전통 옷을 만들다

말하기

가족사진을 보면서 가족을 소개하기

- 유명하다
- 과자
- 기뻐하다

1. 배운 문법을 활용하여 〈보기〉와 같이 대화해 보십시오.

파하드 씨의 가족
아버지, 어머니, 파하드, 남동생, 여동생

동생들		부모님 선물	
남동생	여동생	유명한 한국 전통 과자	한국 음식을 드셔 보시면 좋아하다
대학생	회사원		

보기

자르갈: **(파하드)** 씨, 이게 누구의 사진이에요?
파하드: 제 가족사진이에요.
자르갈: **(파하드)** 씨의 가족이 모두 **(5)**명이에요?
파하드: 네, **(아버지, 어머니, 남동생, 여동생)** 그리고 저예요.
자르갈: **(동생들)**은/는 모두 **(대학생이에요)?**
파하드: 아니요, **(남동생은 대학생인데 여동생은 회사원이에요).**
자르갈: 가족들이 많이 그립겠어요.
파하드: 네, 그래서 방학에 고향에 다녀오려고 해요.
그런데 부모님께 무슨 선물을 드리면 좋아하실까요?
자르갈: 음……. **(유명한 한국 전통 과자를 드리는 게 어때요)?**
부모님도 **(한국 음식을 드셔 보시면 좋아하실 거예요).**
파하드: 와, 정말 좋은 생각이에요. **(자르갈)** 씨, 고마워요.

2. 친구들과 함께 대화해 보십시오.

	왕루 씨의 가족	가족		부모님 선물	
1)	아버지, 어머니, 오빠, 왕루	부모님	오빠	감사의 마음을 전하는 편지	편지를 받아 보시면 기뻐하다
		중국에 있다	미국에 있다		
2)	(　　　)의 가족				

듣고 말하기 163

고향을 소개하는 대화를 듣고 말하기

1. 어디입니까? 이야기해 보십시오.

- 경치
- 관광
- 명소
- 섬
- 해산물
- 흑돼지

2. 다음을 듣고 물음에 답하십시오.

1) 무슨 이야기를 합니까?

2) 들은 내용과 같은 것을 고르십시오. (　　　)

① 여자의 고향은 제주도입니다.

② 남자는 제주도에 가 보고 싶어 합니다.

③ 제주도에는 관광 명소가 많이 있습니다.

④ 제주도는 섬이어서 해산물 요리만 유명합니다.

3. 반 친구들에게 여러분의 고향을 소개해 보십시오.

읽고 말하기

부모님께 쓴 편지를 읽고 말하기

- 가장
- 맛보다

1. 무엇입니까? 이야기해 보십시오.

2. 다음을 읽고 물음에 답하십시오.

부모님께

아버지, 어머니 잘 지내고 계시지요?

저는 한국에서 잘 지내고 있어요. 처음에는 한국 생활이 조금 힘들었는데 지금은 친구들이 많이 도와줘서 힘들지 않아요. 한국어 공부도 열심히 하고 있어요. 수업 시간에 배운 문법을 친구들과 사용해서 말하는 시간이 가장 재미있어요.

지난주에는 학교에서 세계음식축제를 했어요. 저도 친구들과 함께 중국 음식을 만들었어요. 많은 사람들에게 중국의 음식을 소개할 수 있었고 다른 나라의 음식도 맛볼 수 있어서 정말 즐거웠어요.

아버지, 어머니! 저는 한국에서 잘 생활하고 있으니까 걱정하지 마세요. 이번 방학에는 고향에 못 가지만 다음 방학에는 꼭 갈게요.

그럼 안녕히 계세요.

왕루 드림

1) 무엇에 대한 이야기입니까? 알맞은 것을 고르십시오. (　　)

① 한국어　② 한국 생활　③ 한국 친구　④ 한국 학교

2) 이 글의 내용과 다른 것은 무엇입니까? (　　)

① 이 글은 왕루 씨의 부모님께서 쓰셨습니다.
② 왕루 씨는 한국 생활이 힘들지 않습니다.
③ 왕루 씨는 세계음식축제에서 음식을 만들었습니다.
④ 왕루 씨는 이번 방학에 고향에 가지 못합니다.

3. 여러분은 부모님께 편지를 써 봤습니까? 편지로 무슨 이야기를 전하고 싶습니까?

쓰기

1. 가족에게 편지를 써 보십시오.

1) 개요를 써 보십시오.

개요		
처음	첫인사	
가운데	하고 싶은 말	
끝	끝인사	

2) 위 개요를 바탕으로 글을 써 보십시오.

문화 이해하기

한국의 호칭

1. 무엇을 합니까? 이야기해 보십시오.

- 후배
- 친하다
- 친근하다
- 느낌
- 표현하다
- 아주머니
- 이모
- 원래

2. 다음을 읽고 이야기해 보십시오.

한국의 가족에는 할아버지, 할머니, 아버지, 어머니, 누나, 형, 언니, 오빠, 남동생, 여동생 등이 있습니다. 그러면 가족이 아닌 사람은 어떻게 부를까요? 들어 봤습니까?

이 사람들은 대학교 선배와 후배입니다. 후배가 선배를 어떻게 부를까요? 여자 후배는 여자 선배를 '선배'라고 부릅니다. 하지만 '언니'라고 부르는 사람들도 많습니다. 그리고 남자 후배는 여자 선배를 '누나'라고 부릅니다. 학교에서 친하게 지내는 사람들은 가족이 아니지만 가족의 호칭을 사용해서 친근한 느낌을 표현합니다.

여기는 식당입니다. 이 사람은 음식을 주문하려고 합니다. 이 사람은 아주머니를 어떻게 부를까요? 보통 '여기요'나 '저기요' 또는 '아주머니'라고 부릅니다. 하지만 '이모'라고 부르는 사람들도 있습니다. '이모'는 원래 친척이지만 모르는 사람에게 사용하면 더 친근한 느낌을 표현할 수 있습니다.

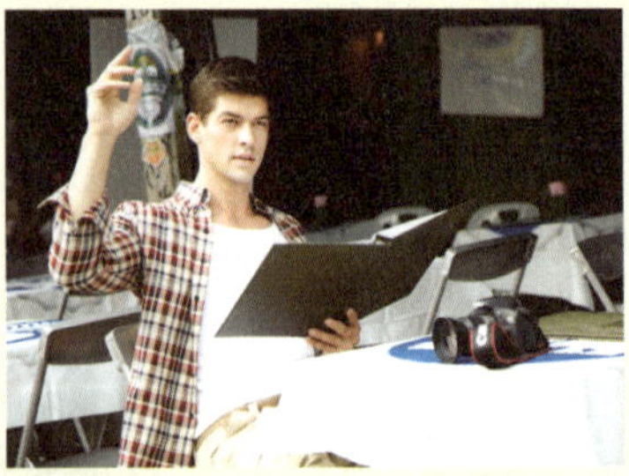

1) 한국의 호칭을 들어봤습니까?

2) 여러분 나라에서는 어떤 호칭을 사용합니까? 이야기해 보십시오.

표현

N(이)라고 부르다

발음 164

받침 'ㅄ': 없다, 없어서, 없으면
받침 'ㄿ': 읊다, 읊어서, 읊으니까

부록

- 듣기 지문
- 모범 답안
- 문법 설명(영어, 중국어)
- 색인

듣기 지문

1 인사와 소개

듣기 103

왕 루: 안녕하십니까? 처음 뵙겠습니다. 저는 왕루입니다.
파하드: 네, 안녕하세요? 처음 뵙겠습니다. 제 이름은 파하드입니다.
왕루 씨는 어디에서 왔습니까?
왕 루: 저는 중국에서 왔습니다. 파하드 씨도 중국 사람입니까?
파하드: 아니요, 저는 중국 사람이 아닙니다. 사우디 사람입니다.
왕 루: 파하드 씨는 회사원입니까?
파하드: 아니요, 저는 회사원이 아닙니다. 학생입니다.
왕 루: 저도 학생입니다. 만나서 반갑습니다.
파하드: 만나서 반갑습니다.

2 학교와 집

듣기 107

파하드: 아멜리 씨, 안녕하세요?
아멜리: 네, 파하드 씨, 안녕하세요?
파하드: 아멜리 씨의 집은 어디에 있습니까?
아멜리: 저의 집은 학교 후문 근처에 있습니다.
후문 건너편에 서점이 있습니다.
그 서점 뒤에 저의 집이 있습니다.
파하드: 제 집도 학교 후문 근처에 있습니다.
서점 오른쪽에 은행이 있습니다.
그 은행 뒤에 제 집이 있습니다.

3 학교생활

듣기 111

자르갈: 아멜리 씨, 안녕하세요? 어디에 갑니까?
아멜리: 안녕하세요? 자르갈 씨. 저는 은행에 갑니다.
자르갈 씨는 무엇을 합니까?
자르갈: 저는 파하드 씨를 기다립니다.
아멜리: 파하드 씨는 지금 김 선생님의 사무실에 있습니다.
자르갈: 김 선생님의 사무실은 어디에 있습니까?
아멜리: 드림센터에 있습니다.
자르갈: 드림센터 6층에 있습니까?
아멜리: 아니요, 4층에 있습니다.
자르갈: 김 선생님 사무 실의 전화번호는 몇 번입니까?
아멜리: 987 – 3456입니다.
자르갈: 고맙습니다.

4 일상생활

듣기 115

로 빈: 아멜리 씨는 평일에 무엇을 합니까?
아멜리: 저는 인하대학교에서 한국어를 공부합니다.
로 빈: 한국어 공부가 재미있습니까?
아멜리: 네, 아주 재미있습니다.
로빈 씨는 평일에 무엇을 합니까?
로 빈: 화요일하고 목요일에 스포츠센터에서 태권도를 배웁니다.
아멜리: 주말에도 스포츠센터에 갑니까?
로 빈: 아니요, 주말에는 도서관에 갑니다. 도서관에서 책을 읽습니다.
아멜리 씨는 주말에 뭐 합니까?
아멜리: 저는 주말에 집에서 청소와 빨래를 합니다.

5 하루 일과

듣기 119

자르갈: 아멜리 씨, 요가는 몇 시부터 해요?
아멜리: 월요일과 수요일 오전 10시부터 10시 50분까지 해요.
자르갈: 어디에서 해요?
아멜리: 305호에서 해요. 자르갈 씨도 요가를 좋아해요?
자르갈: 저는 요가를 좋아하지 않아요. 배드민턴을 좋아해요.
아멜리: 배드민턴은 언제 해요?
자르갈: 배드민턴은 화요일과 목요일 오후 5시 반부터 6시 20분까지 해요.
아멜리: 배드민턴은 어디에서 해요?
자르갈: 운동장에서 해요.
아멜리: 재미있어요?
자르갈: 네, 아주 재미있어요.

6 주말

듣기 123

왕 루: 파하드 씨는 한국에서 여행해 봤어요?
파하드: 네, 여행해 봤어요. 저는 주말에 춘천에 갔어요.
춘천에서 배를 타고 자전거도 타 봤어요.
왕루 씨는 한국에서 여행을 해 봤어요?
왕 루: 네, 저는 주말에 경주에 갔어요.
파하드: 경주에 누구와 같이 갔어요?
왕 루: 저는 친구와 함께 갔어요.
경주에서 시내를 구경하고 박물관도 가 봤어요.
파하드 씨도 친구와 같이 갔어요?
파하드: 아니요, 저는 동생과 같이 갔어요.
춘천은 공기가 맑고 사람들도 친절했어요.
왕 루: 네, 경주도 깨끗하고 참 좋았어요.

7 날씨와 계절

듣기 127

최수지: 오위노 씨는 한국에서 여행을 해 봤어요?
오위노: 네, 저는 작년 여름에 친구들과 함께 부산으로 여행을 갔어요.
최수지: 부산이요? 부산 여행이 어땠어요?
오위노: 오전에는 날씨가 아주 맑았어요.
그래서 수영을 하러 바다에 갔어요. 아주 재미있었어요.
최수지: 바다에만 갔어요?
오위노: 아니요, 오후에는 날씨가 흐렸어요.
그래서 시장을 구경했어요. 그리고 회를 먹었어요. 아주 맛있었어요.

8 계획

듣기 131

흐 엉: 지성 씨, 아멜리 씨의 생일 선물을 준비했어요?
박지성: 아니요, 흐엉 씨는요?
흐 엉: 저도 안 샀어요. 내일 선물을 사러 서점에 갈 거예요.
박지성: 아멜리 씨가 책을 좋아해요?
흐 엉: 네, 아멜리 씨는 한국 소설책을 좋아해요. 그래서 소설책을 살 거예요.
우리 내일 같이 선물을 사러 가요.
박지성: 네, 좋아요. 우리 어디에서 만나요?
흐 엉: 내일 수업이 끝난 후에 학교 후문에서 만나요.
박지성: 네, 내일 만나요.

9 물건 사기

듣기 135

남　자: 어서 오세요. 오늘 과일을 세일하고 있습니다.
아멜리: 사과가 1개에 얼마예요?
남　자: 1개에 1,000원짜리도 있고 1,500원짜리도 있습니다.
아멜리: 뭐가 맛있어요?
남　자: 1,500원짜리가 크고 맛있어요.
아멜리: 수박은 얼마예요?
남　자: 수박은 1통에 12,000원입니다.
아멜리: 그러면 사과 1,500원짜리 3개랑 수박 1통 주세요.
남　자: 네, 알겠습니다.
아멜리: 여기 16,500원 있습니다.
남　자: 네, 고맙습니다.

10 음식

듣기 139

자르갈: 아멜리 씨, 음식 축제에서 무엇을 만들 거예요?
아멜리: 저는 프랑스 샐러드를 만들고 싶어요. 자르갈 씨는요?
자르갈: 저는 몽골 만두를 만들 거예요. 샐러드는 재료가 뭐예요?
아멜리: 샐러드는 채소하고 치즈하고 계란이 필요해요. 몽골 만두는 뭐가 필요해요?
자르갈: 고기랑 채소하고 밀가루가 필요해요.
아멜리: 맛은 어때요?
자르갈: 고기를 많이 넣어서 만드니까 맛있어요. 프랑스 샐러드도 맛있어요?
아멜리: 네, 달고 맛있어요. 자르갈 씨는 언제 재료를 사러 갈 거예요?
자르갈: 이번 주 금요일에 음식 축제를 하니까 목요일에 갈 거예요.
아멜리: 그럼 같이 갈까요?
자르갈: 좋아요. 같이 갑시다.

11 전화

듣기 143

왕 루: 여보세요? 파하드 씨지요?
파하드: 네, 왕루 씨, 잘 지냈어요?
왕 루: 네, 잘 지내고 있어요. 파하드 씨, 이번 주말에 시간이 있어요?
파하드: 네, 시간이 있어요. 무슨 일이에요?
왕 루: 예술회관에서 한국 전통 공연을 해요. 우리 공연을 보러 갈까요?
파하드: 그래요? 좋아요. 저도 한국의 전통 공연을 보고 싶었어요.
왕 루: 그럼 전통 공연이 끝나면 불꽃놀이도 구경합시다. 어때요?
파하드: 재미있겠어요. 어디에서 만날까요?
왕 루: 오후 2시에 예술회관 앞에서 만납시다.
파하드: 네, 좋아요.

12 약속

듣기 147

흐 엉: 여보세요?
자르갈: 흐엉 씨, 저 자르갈이에요. 우리 내일 만나지요?
흐 엉: 네, 제가 영화표를 예매했어요.
7시 영화니까 5시에 만나서 밥을 먹을까요?
자르갈: 저…… 그런데 흐엉 씨, 미안해서 어떡하지요?
흐 엉: 네? 무슨 일이 있어요?
자르갈: 네…… 갑자기 일이 생겨서 내일 만날 수가 없어요.
정말 미안해요.
흐 엉: 아…… 그래요?
자르갈: 자주 약속을 바꿔서 미안해요. 우리 다음 주말에 만날까요?
흐 엉: 글쎄요…… 나중에 제가 연락할게요.
자르갈: 아, 흐엉 씨, 정말 미안해요.
흐 엉: 아니에요, 괜찮아요. 먼저 전화 끊을게요.

13 교통

듣기 151

흐엉: 지성 씨, 지금 바빠요?
지성: 아니요, 괜찮아요. 무슨 일이에요?
흐엉: 대학로에 갈 거예요. 그런데 지하철 노선도에서 대학로를 못 찾겠어요.
지성: 대학로요? 대학로는 4호선 혜화역 근처에 있어요.
흐엉: 아, 혜화역이요? 주안역에서 혜화역까지 어떻게 가요?
지성: 주안역에서 지하철 1호선을 타고 가요.
서울역에서 4호선으로 갈아타고 혜화역에서 내리세요.
흐엉: 얼마나 걸릴까요?
지성: 주안역에서 급행을 타면 1시간쯤 걸릴 거예요.
흐엉: 네, 알겠어요. 고마워요.

14 공공장소

듣기 155

안내원: 안녕하십니까? 저희 박물관에 오셔서 감사합니다.
박물관 이용 시간을 말씀드리겠습니다.
평일은 오전 9시부터 오후 6시까지이고 주말은 오전 9시부터 오후 7시까지입니다.
입장권은 무료입니다. 하지만 어린이 박물관은 입장권을 사셔야 합니다.
다음은 박물관 주의 사항을 말씀드리겠습니다.
박물관에서 담배를 피우지 마십시오. 그리고 조용히 해야 합니다.
박물관 안에서는 음식을 드시지 마시고 지하 1층 식당에서 음식을 드셔야 합니다.
주의 사항을 잘 지켜 주십시오. 감사합니다.

15 건강

듣기 159

파하드: 왕루 씨, 몸은 좀 어때요? 괜찮아요?
왕 루: 약을 먹었지만 어제보다 더 아파요.
파하드: 요즘 감기가 유행이에요. 밥은 잘 먹어요?
왕 루: 아니요, 목이 아파서 잘 못 먹어요.
파하드: 그러면 죽을 좀 드셔 보세요. 그리고 따뜻한 물도 자주 마셔야 해요.
왕 루: 네, 걱정해 줘서 고마워요.
파하드: 목이 정말 아프겠어요.
왕 루: 네, 기침을 하면 정말 목이 아파요.
파하드: 병원에 가 봤어요?
왕 루: 네, 어제 갔다 왔지만 계속 아파서 오후에 또 가려고요.
파하드: 약을 먹고 푹 쉬세요.

16 가족

듣기 163

왕 루: 지성 씨, 이게 누구 사진이에요?
박지성: 제 가족사진이에요.
왕 루: 어디에서 찍은 사진이에요? 경치가 정말 아름다워요.
박지성: 제 고향인 제주도에서 찍은 사진이에요. 왕루 씨는 제주도에 가 봤어요?
왕 루: 아니요, 아직 가 보지 못했는데 꼭 가 보고 싶은 곳이에요.
박지성: 제주도는 관광 명소가 많은데 특히 한라산이 아주 아름다워요. 그리고 음식도 정말 맛있어요.
왕 루: 제주도는 무슨 음식이 유명해요?
박지성: 제주도는 섬이어서 해산물이 아주 맛있어요. 그리고 흑돼지도 유명해요.
왕 루: 와, 저도 나중에 꼭 가 보고 싶어요.

모범 답안

1 인사와 소개

듣고 말하기

2. 2)

이름	나라	직업
왕루	중국	학생
파하드	사우디	학생

3) ①

읽고 말하기

2. 1) ③ 2) ②

2 학교와 집

듣고 말하기

2. 1) ③ 2) ① 3) ②

읽고 말하기

2. 1) ② 2) ③ 3) ②

3 학교생활

듣고 말하기

2. 2) ④

읽고 말하기

2. 1) ① 2) ①

4 일상생활

듣고 말하기

2. 2) ③

읽고 말하기

2. 1) ④ 2) ②

5 하루 일과

듣고 말하기

2. 2) ③

읽고 말하기

2. 1) ① 2) ④-③-②-⑤ 3) ③

6 주말

듣고 말하기

2. 2) ③

읽고 말하기

2. 1) ① 2) ②

7 날씨와 계절

듣고 말하기

2. 2) ③

읽고 말하기

2. 1) ② 2) ① 3) ④

8 계획

듣고 말하기

2. 2) ④

읽고 말하기

2. 1) ① 2) ②

9 물건 사기

듣고 말하기

2. 2) ④

읽고 말하기

2. 1) ① 2) ④ 3) ③

10 음식

듣고 말하기

2. 2) ④

읽고 말하기

2. 1) ③ 2) ①

11 전화

듣고 말하기

2. 2) ②

읽고 말하기

2. 1) ④ 2) ②

12 약속

듣고 말하기

2. 2) ①

읽고 말하기

2. 1) ③ 2) ④

13 교통

듣고 말하기

2. 2) ③

읽고 말하기

2. 1) ③ 2) ④

14 공공장소

듣고 말하기

2. 2) ③

읽고 말하기

2. 2) ④

15 건강

듣고 말하기

2. 2) ②

읽고 말하기

2. 1) ② 2) ④

16 가족

듣고 말하기

2. 2) ③

읽고 말하기

2. 1) ② 2) ①

문법 설명(영어)

1-1. N입니다 / N입니까? 'is N / is N?'

'입니다' and '입니까' are copulae attached to the preceding noun and refer to equation or identification. '-입니다' is an honorific formal style of '-이다' in a declarative sentence. '-입니까' is the interrogative form of '-입니다'.

1-2. N이/가 'subject marker'

'이/가' is a subject particle added to the subject of the sentence and refers to what the predicate is all about.

1-3. N은/는① 'topic marker'

'은/는' is a topic particle attached to the preceding noun and denotes that the noun is the topic of the sentence.

1-4. N이/가 아니다 'is not N'

'이/가 아니다' refers to negation of a fact.

1-5. N도 'also, too'

'도' is a particle added to the preceding noun and denotes that something is already included and another thing is added additionally.

2-1. 이 / 그 / 저 'this, that, that(over there)'

'이' is a determiner attached to the preceding noun, referring to something closer to the speaker.

'그' is a determiner attached to the preceding noun, referring to something closer to the listener.

'저' is a determiner attached to the preceding noun, referring to something away from both the speaker and the listener.

2-2. N의 'of N, N's'

'의' is a possessive particle. It is used to express the possessor-possessed relation.

2-3. N에① 'at, in, on N (place)'

It is a locative particle. Generally it is used with '있다/없다' and is used to denote someone or something is at that location.

2-4. N이/가 있다/없다 'there is N/there is no N'

'이/가 있다' refers to the existence of an object or people. '이/가 없다' is a negative form of '있다'.

3-1. V-(스)ㅂ니다 / -(스)ㅂ니까? 'sentence-endings describing the present tense'

'-(스)ㅂ니다' and '-(스)ㅂ니까' are sentence final verbal suffixes in honorific formal speech level.

3-2. N을/를 'object marker of the action verb'

'을/를' is a object particle indicating the direct object of an action verb.

3-3. N만 'only, just'

'만' is a particle that is a marker of exclusivity meaning 'only, just' in English.

3-4. N에 가다/오다 'go [come] to'

'에 가다/오다' is combined with a place noun to indicate the destination someone is going or coming to. Also '에 다니다' is combined with that to indicate one's place of work and school.

3-5. 수① numerals from Chinese

Usually the numerals from Chinese are used to describe numbers for floor, level, room, bus, telephone and science.

4-1. N과/와, N하고 N 'N and N; (together) with N'

they are a conjunctive to be used to join two or more nouns in a parallel relation. '하고' is generally used in informal situations, and '와/과' is used in writing and in formal situations.

4-2. N에서 'at, in N (place)'

'에서' is a dynamic locative particle indicating the location of activity.

4-3. 수② 'dates'

Chines numerals are used in naming dates.

4-4. N에② 'at, in, on (time)'

It is a particle indicating a time reference.

5-1. V-아/어/여요①, N이에/예요 'sentence-endings for informal speech level'

'-아/어/어요' and '이에/예요' are sentence endings used in informal polite speech level.

5-2. 수③ 'time'

'한', '두', '세', '네', '다섯', '여섯', '일곱', '여덟', '아홉', '열', '열하나', '열두' are used to express 'hour' and '일', '이', '삼', '사', '오' … '오십구' are used to express 'minute' and 'second'.

5-3. N부터 N까지 'from N to N'

'N부터 N까지' is used for temporal expressions meaning 'from time till [to] time'.

5-4. 안 V / V-지 않다 'not'

'안' is a negative adverb. Both '안 + verb' and 'verb+-지 않다' mean 'do not'. They refer to an intentional negative.

6-1. V-았/었/였-, N이었/였- 'did; was'

'-았/었/였- ' and '이었-/였-' are the past forms of '-아/어/여' and denotes an event that happened in the past.

6-2. V-고①, N(이)고 'and'

'-고' and '(이)고' are conjunctive particles connecting two or more clauses

6-3. AV-아/어/여 보다 'try to (do)'

'-아/어/여 보다' is an expression of a past experience, a present attempt or a suggestion.

6-4. 으 동사 '으 verbs'

'ㅡ' in the verb stems is deleted without exception, when it is followed by the vowels 'ㅏ/ㅓ'.

7-1. N은/는② 'contrast marker'

'은/는' is a topic particle used to compare different or contrastive items.

7-2. ㅂ 동사 'ㅂ verbs'

'ㅂ' in verb stems turns into 'ㅜ/ㅗ' in some cases. Usually when the stems have vowels 'ㅗ' or 'ㅏ', 'ㅘ' is attached. When they have the other vowels, 'ㅝ' is attached.

7-3. AV-아/어/여서① 'and then (there)'

'-아/어/여서' is the conjunctive suffix connecting two clauses and indicates a sequence of events.

7-4. N(으)로① 'to, toward, (heading) for'

'(으)로' is a direction particle.

7-5. AV-(으)러 가다/오다 'to go (come) to do'

'-(으)러 가다/오다' expresses the purpose of the following action verbs '가다/오다'

8-1. AV-(으)ㄹ 거예요① 'will'

'-(으)ㄹ 거예요' is an expression of probable future or future plan.

8-2. AV-고② 'and then'

'-고' is a conjunctive particle connecting two or more clauses and indicates a sequence of events.

8-3. AV-기 전에, N 전에 'before'

'-기 전에, N 전에' is attached to the action verb or noun. It expresses a fact or premise before something is done.

8-4. AV-(으)ㄴ 후에, N 후에 'after'

'-(으)ㄴ 후에' and '후에' are attached to the action verb and noun. It expresses a fact or a result after something is done.

8-5. N 동안 'during, for'

'동안' denotes the length of time during which a certain action or behavior begins and lasts until it ends.

9-1. 수④ 'counting'

'한', '두', '세', '네',… are the cardinal numbers and '첫 번째', '두 번째', '세 번째', '네 번째'… are the ordinal numerals.

9-2. AV-(으)세요/-(으)십시오 'please do…!'

'-(으)세요' and '-(으)십시오' are polite forms used to express a command or an exhortation.
They are attached only to action verb stems, not to descriptive verb stems.

9-3. N(이)랑 'and; (together) with'

'(이)랑' is conjunctive particle. It is used in colloquial speech to join two or more nouns. '(이)랑' is more casual than '하고'

9-4. AV-고 있다① 'be doing, be doing something'

'-고 있다' is the present progressive form. It denotes that an action is in progress.

9-5. N에게/한테 'to somebody', N에게서/한테서 'from somebody'

'에게/한테' is a particle indicating the recipient of the action. '한테' is preferably used in colloquial speech. '에게(서)/한테(서)' are particles indicating the source of the action. '서' can be omitted. '한테(서)' is more casual than '에게(서)'.

10-1. AV-(으)ㄹ까요?① 'Shall I/we…?'

'-(으)ㄹ까요' is a sentence final suffix which is used to ask the listener's opinion or consent.

10-2. AV-(으)ㅂ시다 'Let's...!'

'-(으)ㅂ시다' is a sentence final suffix suggesting both the speaker's and the listener's joint action.

10-3. V-(으)니까①, N(이)니까 'as, because'

'-(으)니까' is a conjunctive suffix. It denotes a reason or cause of the following clause.

10-4. AV-고 싶다 'want to, would like to'

'-고 싶다' expresses the speaker's desire or wish.

10-5. AV-겠-① 'will (intention)'

'-겠-' is a non-final inflectional suffix and indicates speaker's intention or volition and future plan.

11-1. V-지요?, N(이)지요? 'don't you?, doesn't he/she/they?, isn't it?'

'–지요' and '(이)지요' are the expressions requesting confirmation or agreement about what the speaker is sure about or assumes.

11–2. V–겠–②, N(이)겠– '(I) guess'

'–겠–' is a non–final inflectional suffix. It denotes the speaker conjecture.

11–3. AV–아/어/여 주다 'to do a favor for someone'

'–아/어/여 주다' is an auxiliary verb indicating a benefactive expression.

11–4. V–(으)면, N(이)면 'if, when'

'–(으)면' and '(이)면' are conjunctive suffixes. They denote an assumption for an uncertain fact. Or it is used for the conditional mood, i.e., when the speaker cites a generally evident fact as a condition for something.

11–5. ㄷ 동사 'ㄷ verbs'

ㄷ in some verb stems changes into ㄹ, when an ending that begins with a vowel is attached.

12–1. V–아/어/여서②, N이어/여서 'because, as, since'

'–아/어/여서' and '이어/여서' are attached to a verb or a noun to express a cause or reason of the following clause

12–2. AV–(으)ㄹ 수 있다/없다 'can/cannot'

'–(으)ㄹ 수 있다/없다' is an expression of ability or possibility of doing something.

12–3. V–(으)ㄹ까요?②, N일까요? 'Do you think (guess) that…?'

'–(으)ㄹ까요?' and '일까요?' are used to ask the listener's opinion.

12–4. V–(으)ㄹ 거예요②, N일 거예요 'I think (guess) that…'

'–(으)ㄹ 거예요' and '일 거예요' are expressions of probability or conjecture.

12–5. AV–(으)ㄹ게요 'I will…, I promise… (a weak promise)'

'–(으)ㄹ게요' denotes the speaker's volition or determination. It is used only for statements and cannot be used for questions.

13–1. AV–아/어/여요② 'let's (request); please do (imperative)'

'–아/어/여요' is a sentence final suffix suggesting both the speaker's and the listener's joint actions or a formal command to the listener.

13–2. N(으)로② 'by means of, with'

'(으)로' denotes means of transportation, tools or material.

13–3. ㄹ 동사 'ㄹ verb'

ㄹ in the verb stems is omitted without exception, when it meets an ending that begins with ㄴ, ㅂ, or ㅅ. However, when an ending that begins with –으 is added to such a stem, ㄹ remains as a final consonant, instead –으 is omitted.

13–4. V–거나, N(이)나 'or'

'(이)나' and '–거나' indicate a choice of any items in a list, or do one out of many possible actions.

13–5. 못 AV / AV–지 못하다 'cannot'

'못/–지 못하다' denotes the subject's lack of ability to do something or the fact that something does not go according to one's wish or hope due to some external factor.

14–1. AV–(으)려고 하다 'I intend to…, I plan to… '

'-(으)려고 하다' is used to express the speaker's intention and purpose of an action verb.

14-2. N께서/께서는 'subject marker (an honorific term)'

'께서' and '께서는' are the honorific counterpart of the subject particle '이/가' and '은/는'.

14-3. V-(으)시-, N(이)시- 'honorific prefinal ending'

'-(으)시-' and '(이)시' are the subject honorific suffixes used when the subject is higher in status or age than the speaker.

14-4. V-아/어/여야 되다/하다 'must, have to'

'-아/어/여야 되다/하다' denotes obligation or necessity.

14-5. AV-지 말다 'Don't (imperative)'

'-지 말다' is used for prohibition.

15-1. N보다 'than N'

'보다' is a particle used for comparison.

15-2. V-지만, N(이)지만 'but, however'

'지만' and '(이)지만' are conjunctive suffixes connecting two clauses with contrastive or opposite meaning.

15-3. DV-(으)ㄴ N 'adnominal phrase'

'-(으)ㄴ' is a noun-modifying form attached to the descriptive verbs and modifies the following noun.

15-4. AV-아/어/여도 되다(좋다, 괜찮다) 'may (permission)'

'-아/어/여도 되다' expresses permission or admission.

15-5. AV-(으)면 안 되다 'may not (no permission)'

'-(으)면 안 되다' means that some behavior is not allowed.

16-1. AV-(으)ㄴ/는/(으)ㄹ N, N인 N 'adnominal phrase'

'-(으)ㄴ/는/(으)ㄹ' and '인' are noun-modifying forms attached to the stem of an action verb and '이다'. '-(으)ㄴ' is the past-tense noun-modifying form. '-는' is the present-tense modifying form and '-(으)ㄹ' is the future-tense noun-modifying form.

16-2. V-(으)ㄴ/는데, N인데 'whereas; but; yet; while'

'-(으)ㄴ/는데' is an expression introducing a contrastive fact to the following clause.

16-3. N께 'to somebody; from somebody (an honorific term)'

'께' indicates the recipient of the action and it is the honorific counterpart of the particle 에게'. And It also indicates the source of items accepted or the news heard and it is the honorific counterpart of the particle '에게서'.

16-4. AV-아/어/여 드리다/주시다 'to do a favor for someone (an honorific term)'

'-아/어/여 드리다/주시다' is the honorific counterpart of '-아/어/여 주다'.

문법 설명(중국어)

1-1. N입니다 / 입니까?
'입니다' 和 '입니까' 用于体词(名词)后面，是 '-이다' 格式体的敬语形式，跟动词一样可以活用变化，作为谓语终结句子，相当于"是……"。'-입니까' 是疑问形，'-입니다' 是陈述形

1-2. N이/가
助词，表示 '이/가' 之前的部分是与谓语呼应的主语。表示某一状态的对象、经历；某一情况的对象、某一动作的主体的主格助词。

1-3. N은/는①
助词，接于体词（名词）后面，表示句子里所陈述的内容、信息、说明的对象或主题。

1-4. N이/가 아니다
表否定某一事实时使用。相当于汉语的""不是N"。用于名词后。

1-5. N도
助词，意思是'也，还'列举共同的（宾语、主语等）部分时使用。

2-1. 이 / 그 / 저
이：冠词，用于名词前面，指离说话人较近的事物。
그：冠词，用于名词前面，指离听话人较近的事物。
저：冠词，用于名词前面，指离说话人和听话人较远的事物。

2-2. N의
助词，表示所属关系，'의' 后面的部分属于前面的部分，用于体词后面起冠词的作用，在口语中容易看出其所属关系时可以省略，通常使用缩减形式。汉语相当于'N的'。

2-3. N에①
助词，表示事物所在的场所或事情发生的场所。'-에' 的前面是行为的目的地或行为要到达的地点。

2-4. 이/가 있다/없다
'이/가 있다' 表示事物或人的存在。否定式是 ' -이/가 없다'

3-1. V-(스)ㅂ니다 / -(스)ㅂ니까?
词尾，用于动词后面的终结词尾。表示一种尊敬的语气，主要用于书面语。'-(스)ㅂ니다' 是陈述形，'-(스)ㅂ니까' 是疑问形。动词词干为闭音节时，用 '-습니까/습니다'。动词词干为开音节时，用 '-ㅂ니까/-ㅂ니다'

3-2. N을/를
助词，表示动作涉及的直接对象或行为的间接目标和对象。（宾格助词，表示前面的名词是宾语）

3-3. N만
助词，'只，仅'的意思，排除其他因素只限定 '-만' 前面的部分。

3-4. N에 가다/오다
'-에' 表示主体的行动所到达的地点、目的地。与表示去向和到达的动词'에 가다/오다'搭配使用，构成处所状语。也可以用作 '-에 다니다' 表示工作、读书等某些反复发生的行为。

3-5. 수①
相当于汉语的量词。例如：-层，-级，-间，-路（车）等等。

4-1. N과/와, N하고 N

助词，指与其他对象做比较或表示作为标准的对象。连接两个以上（作为同等资格）的名词，相当于“和”。

4-2. N에서

助词，用在表示场所的名词后，表示动作进行的场所。

4-3. 수②

用于标注日期，例如：*年*月*日。

4-4. N에②

用于表示时间的名词后面的助词。

5-1. V-아/어/여요①, N이에/예요

‘-아/어/여요’ 词尾，用于动词后面的终结词尾，是非格式体的尊敬形式，通常用于口语，根据词干的最后一个音节的元音变成 ‘-아요/어요/여요’。‘이에/예요’ 用于体词（名词）后面的 ’-이다’ 的非格式体的尊敬形式，跟动词一样可以活用变化，作为谓语终结句子。名词的最后音节是辅音时，使用 ‘-이에요’，名词的最后音节是元音时，使用 ‘-예요’。

5-2. 수③ “时间”

在表示小时的 “点” 前面用固有词 ‘한’, ‘두’, ‘세’, ‘네’, ‘다섯’, ‘여섯’, ‘일곱’, ‘여덟’, ‘아홉’, ‘열’, ‘열하나’, ‘열두’，在表示分和秒的时候用汉字词 ‘일’, ‘이’, ‘삼’, ‘사’, ‘오’ …‘오십구’。

5-3. N부터 N까지

用在时间前面，汉语相当于“从…到…”。

5-4. 안 V / V-지 않다

接在谓词前、谓词词干后，否定行为或状态。相当于“不”。相当于汉语中的否定句。

6-1. V-았/었/였-, N이었/였

用于动词和名词后面，表示过去时态。

6-2. V-고①, N(이)고

用于连接两个或两个以上的事实（即句子、谓语）或名词时使用。

6-3. AV-아/어/여 보다

‘-아/어/여 보다’ 用于表示尝试、试图做某事。或过去有过某种经历或发生过某种行为，以及进行某种行为的提议。

6-4. 으 동사

‘ㅡ’ 动词不规则形式的变化。根据 ‘ㅡ’ 前面的字变成 ‘ㅏ/ㅓ’ 的形式结尾。

7-1. N은/는②

用在前后两个主语后面表示对比或对照。

7-2. ㅂ 동사

动词词干的收音‘ ㅂ’与元音 ’ㅇ’ 相连时，‘ ㅂ’词干有‘ㅗ, ㅏ’被脱落后再添加 ‘ㅘ, ㅝ’。

7-3. AV-아/어/여서①

‘-아/어/여서’ 连接两个句子，前者比后者发生的早（表前后顺承），汉语相当于‘然后’。

7-4. N(으)로①
助词，接在方向或地点名词后面表示动作进行的方向及目的地。汉语相当于'向、往'。

7-5. AV-(으)러 가다/오다
表目的，"为了做什么而'去、来、上'"。

8-1. AV-(으)ㄹ 거예요①
表示尚未发生的事儿或对未来的打算。(表示计划、将来、打算)

8-2. AV-고②
表示句子前段和后段之间有时间的先后顺序或其他相关关系的词尾。汉语相当于'然后'。

8-3. AV-기 전에, N 전에
汉语相当于'做…之前'。

8-4. AV-(으)ㄴ 후에, N 후에
汉语相当与' 做…之后'。

8-5. N 동안
汉语相当与'期间'。

9-1. 수④
数数, 汉语相当于' 第一、第二'等。

9-2. AV-(으)세요/-(으)십시오
表示命令、请求、劝说的终结词尾，汉语相当于'请'。

9-3. N(이)랑
连接两个以上的事物、主要用于口语。汉语相当于'和'

9-4. AV-고 있다①
汉语相当于'正在做AV'。

9-5. N에게/한테, N에게서/한테서
表示动作涉及的对象(放在接受的对象的后面)。한테用于口语，께 表示尊语。'에게(서)/한테(서)'汉语相当于'从……得到……"，放在给予人的后面

10-1. AV-(으)ㄹ까요?①
提出建议并征求意见。汉语相当于 '做…怎么样？'。

10-2. AV-(으)ㅂ시다
表示对行为劝说，共动。汉语相当于'...吧'。

10-3. V-(으)니까①, N(이)니까
表示根据或前提。汉语相当于'因为 ---所以'。

10-4. AV-고 싶다
表示说话人的希望、欲望和意愿。汉语相当于'想'。

10-5. AV-겠-①
表示尚未发生的事儿或对未来的计划。汉语相当于'要做…'。

11-1. V-지요?, N(이)지요?
为了再次确认已知的信息或者事实，向听话人提问，汉语相当于'..吧？'

11-2. V-겠-②, N(이)겠-
表示推测，委婉的语气。汉语相当于'好像，应该'。

11-3. AV-아/어/여 주다
为对方做某事。

11-4. V-(으)면, N(이)면
假设、前提、条件。汉语相当于'如果'。

11-5. ㄷ 동사
动词词干的收音" ㄷ"与元音（ㅇ）'相连时，"ㄷ"要变成"ㄹ"

12-1. V-아/어/여서②, N이어/여서
因为 所以。表原因

12-2. AV-(으)ㄹ수 있다/없다
会……、不会……/可以……、不可以……。

12-3 . V-(으)ㄹ까요?②, N일까요?
向对方询问推测的内容。

12-4. V-(으)ㄹ거예요②, N일거예요
表示估计和推测。

12-5. AV-(으)ㄹ게요
用于第一人称，强调自身要做某事的意志。汉语相当于'要…！'

13-1. AV-아/어/여요②
表示请求。汉语相当于'…吧'。

13-2. N(으)로②
方法、手段。

13-3. ㄹ 동사
"ㄹ"与以"ㄴ,ㅂ,ㅅ"为首音的词尾及"오"词尾相连时 "ㄹ"脱落。

13-4. V-거나, N(이)나
表选择，相当于汉语的"或者"。

13-5. 못 AV / AV-지 못하다
表示因为客观原因没能做…。客观否定

14-1. AV-(으)려고 하다
前者是后者行为的目的，表示主语的意图或计划。汉语相当于'为了…，想要…'。

14-2. N께서/께서는
主格助词"이/가"的敬语形式。

14-3. V-(으)시-, N(이)시-
接在谓语词根后，表尊敬。（'다'前面的即为词根。例：읽다 中的 읽为词根）

14-4. V-아/어/여야 되다/하다
表示在某一情况下必要的、有义务做的行为或必须具备的因素。汉语相当于'一定要..，应该…，得…'。

14-5. AV-지 말다
表示禁止或劝阻。汉语相当于'不要…'。

15-1. N보다
'用于被比较的对象表示比~的意思。

15-2. V-지만, N(이)지만
表转折，汉语相当于'虽然……但是……'

15-3. DV-(으)ㄴN
形容词的冠形词型，相当于汉语中的定语形式，来修饰后面的名词

15-4. AV-아/어/여도 되다(좋다, 괜찮다)
表允许、许可，"可以……"

15-5. AV-(으)면 안 되다
表不允许，"不可以……"

16-1. AV-(으)ㄴ/는/(으)ㄹ N, N인 N
动词的冠形词型，相当于汉语中的定语形式，来修饰后面的名词

N인 N 为名词的定语形式，表属性

16-2. V-(으)ㄴ/는데, N인데
表提示、说明、背景等，具有"轻微转折、原因等"意味。

16-3. N께
에게/한테, 에게(서)/한테(서)的敬

16-4. AV-아/어/여 드리다/주시다
'-아/어/여 주다' 的敬语。

색인

1과

어휘	English	中国语
N에서 왔습니다	came from	从N来的、来自N
감사합니다	Thank you very much	谢谢
고맙습니다	Thank you very much	谢谢
괜찮습니다	That's fine, It's all right , No problem	没关系
나라	country, nation, state	国家
네	yes	是
누구	who, whom, whose	谁
만나다	meet, see	见面
만나서 반갑습니다	Nice to meet you	见到你很高兴
무엇	what, something, anything	什么
미안합니다	I'm sorry.	对不起
반갑다	glad, happy, pleasant	高兴
뵙다	meet, see	见面的敬语
사람	person (people), human	人
실례합니다	Excuse me, Pardon me	打扰一下
씨	Mr. , Ms. , Mrs.	先生、或女士、用在人名后表尊敬
안녕하세요?	Hi, Hello, Hey	你好吗？（尊敬的用法、常用的）
안녕하십니까?	Hi, Hello, Good morning[afternoon, evening]	你好吗？（最正式的用法）
안녕히 가십시오	Good-bye	慢走、再见
안녕히 계십시오	Good-bye	慢走、再见（先走的人对留下的人说）、请留步
어느 N	which	哪个N
어디	where	哪儿
어디에서 왔습니까?	Where are you from?	从哪儿来的？
어서오세요	Welcome	欢迎光临
이름	Name	名字
저	(humble term) I; me	我（我的敬语）
제	(humble term) my	我的
죄송합니다	I'm sorry.	对不起
처음	beginning, start, first	初次
처음 뵙겠습니다	How do you do?	初次见面！
선생님	teacher, instructor	老师
아니요	no	不
학생	student	学生
기자	journalist, reporter	记者
아버지	father	父亲
요리사	cook, chef	厨师
의사	doctor	医生
회사원	employee, (salaried) worker, company staff	职员
간호사	nurse	护士
영어	English	英语
모두	all, everyone, everybody	都、全部
반	group, class	班
우리	we, our, us	我们
친구	friend, companion	朋友
눈	eye	眼睛、雪
머리	head	头
보다	see, watch, look	看
숙이다	bow (one's head), bend (over/down/forward)	低头、低下
인사하다	greeting, bow, say hello	问候

2과

어휘	English	中国语
가방	bag, sack	包
것	thing	东西、事儿・情况
교실	classroom	教室
그것	that	那个
시계	clock	钟表
여기	here	这里
이것	this	这个
저것	that	那个
책상	desk	书桌
건물	building	建筑
도서관	library	图书馆
운동장	schoolyard	运动场
은행	bank	银行
있다	be stand, be located (in/at), be situated lie	有
학교	school	学校
거울	mirror	镜子
공책	notebook	笔记本
연필	pencil	铅笔
의자	chair	椅子
창문	window	窗门、窗户
책	book	书
칠판	blackboard	黑板
휴대전화	cellphone, cellular phone	手机
볼펜	ballpoint (pen)	圆珠笔
사전	dictionary	字典
신발	shoes	鞋子
안경	glasses	眼镜
지우개	eraser	橡皮擦
필통	pencil case	笔盒、笔筒、笔袋
N과/와 N 사이[가운데]	gap (between), space (between)	N和N 的距离；关系、N和N之间
건너편	the opposite side, the other side	对面
고향	one's hometown, one's birthplace	故乡
근처	neighborhood , vicinity	附近
냉장고	refrigerator	冰箱
뒤	back, the rear	后面
맞은편	opposite side	对面
매점	cafeteria	商店、小卖部
밑	the bottom, the foot, the lower part	下面

밖	the outside	外面
방	room	房子·房间
본관	main building	主楼 · 本馆
식당	restaurant	食堂、餐厅
아래	the bottom, the foot, the lower part	下、下面
안	the inside	里、里面
앞	the front	前、前面
없다	be no, have no, be free	没有, 不多, 少见
옆	side	旁边
오른쪽	the right, one's right	右边
왼쪽	the left, one's left	左边
우체국	post office	邮局
위	top	上、上面
정문	front gate, main gate	正门
집	house, home	家
침대	bed	床
컴퓨터	computer, PC	电脑
후문	Backdoor · Back Gate	后门
대강당	auditorium	大讲堂、大礼堂
서점	bookstore	书店
커피숍	coffee shop	咖啡店
평생교육원	Lifelong Education Center	终身教育院
거실	living room, sitting room	客厅
부모님	one's parents	父母
부엌	kitchen	厨房
소파	sofa, couch	沙发
식탁	table	饭桌
아래층	lower floor, downstairs	下层
옷장	closet	衣柜
위층	upper floor, upstairs	上层
이층집	two-story[-storied] hous	两层楼房
텔레비전	television, TV	电视
화장실	toilet	卫生间；洗手间
구	borough	區、区
도로	road	道路
도로명	road names	道路名
도시	city	都市、城市
번호	number	号码
주소	address	住所·地址

3과

어휘	English	中国语
N이/가 어떻습니까?	how is N? What do you thing of N?	N怎么样？
배우다	learn, study	学习
재미있다	funny, interesting, amusing	有意思
한국어	Korean (language)	韩语
가다	go	去
몇 N	how many; how much; what time	几个
층	floor, story	层
호	number (No.)	号
공원	park	公园
깨끗하다	clean , spick and span, spotless	干净
넓다	large, big, extensive, roomy	宽敞
더럽다	dirty, filthy	脏
듣다	hear, listen (to)	听
많다	a lot of, lots of, plenty of, many	多
버스	bus	巴士
쉽다	easy, simple	简单
어렵다	difficult, hard	难
영화	movie, film	电影
음악	music	音乐
읽다	read, peruse	读
작다	small, little, tiny, short, tight	小
재미없다	flat, boring, dull, uninteresting	没意思
적다	few, little, small	少
좁다	narrow, small, cramped	窄
크다	big, large	大
타다	ride, take, board	乘
노래	song	歌
마시다	drink, have	喝
먹다	eat	吃
밥	steamed rice, boiled[cooked] rice	饭
부르다	sing	唱 · 叫
쓰다	write, put[write] down	写 · 用 · 戴 · 穿 · 苦
우유	milk	牛奶
잡지	magazine	杂志
지하철	subway, metro	地铁
추다	dance	跳舞
춤	dance, dancing	舞 · 舞蹈
커피	coffee	咖啡
편지	letter	信
라디오	radio	收音机 · 广播
빵	bread	面包
사다	buy, get	买
선물	present, gift, give a present[gift]	礼物
주다	give, present	给
중국어	Chinese	中文
가게	shop, store	商店、小卖部
다니다	attend, frequent	上（学校 · 公司）
대학교	college, university	大学
편의점	convenience store	便利店
회사	company	公司
번	number	号码

전화 번호	telephone number	电话号码
꽃집	flower shop	花店
빌딩	building	大厦・大楼
약국	pharmacy, drugstore	药店
기다리다	wait , hold on	等
사무실	office	办公室
지금	now	现在
그리고	and	并且、而且・然后・还有
끝나다	end, finish, close, be over	结束
똑똑하다	smart, clever, bright, intelligent	聪明
매우	very much, extremely	非常
수업	class, lesson, course	课
열심히	hard, diligently, enthusiastically	努力地
즐겁다	pleasant, pleased (with, about), enjoyable	开心
친절하다	kindness, kind, courteous	亲切
고등학교	high school	高中
년	year	年
중학교	middle school	中学
초등학교	elementary school	小学

4과

어휘	English	中国语
농구	basketball	篮球
숙제	homework	作业
축구	soccer	足球
N와/과 같이[함께]	together with	和N一起
N마다	each, every	每个N
N하고 같이[함께]	together with	和N一起
금요일	Friday	星期五
목요일	Thursday	星期四
무슨 N	what, what kind of	什么
수영	swimming	游泳
수요일	Wednesday	星期三
쉬다	rest	休息
야구	baseball	棒球
월요일	Monday	星期一
일요일	Sunday	星期天
토요일	Saturday	星期六
화요일	Tuesday	星期二
딸기	strawberry	草莓
복습	review	复习
빨래	laundry	要洗的衣服、洗了的衣服
사과	apple	苹果；道歉
신문	newspaper	报纸
예습	preparation(s), prepare	预习
청소	cleaning	清扫、打扫卫生
노래방	karaoke room	KTV・练歌房
돈	money	钱
보내다	send	发送
빌리다	borrow	借给、出租
영화관	theater	电影院
찾다	find	找
날짜	date	日子
내일	tomorrow	明天
며칠	a few days, several days	几天
몇	some, several, a few	几
생일	birthday	生日
수료식	completion ceremony	结业式
언제	when	什么时候
오늘	today	今天
요일	day of the week	星期；周
월	month	月
일	day	日
주말	weekend	周末
평일	weekdays	这周期间、周一至周五
중간시험	intermediate examinations	期中考试
과일	Fruits	水果
기숙사	dormitory , hall of residence	宿舍
마트	mart	超市
매일	daily, every day, each day	每天
모레	the day after tomorrow	后天
쇼핑	shopping	购物
수영장	swimming pool	游泳场
아침	morning	早晨、早餐
오다	come	来
오전	a.m., forenoon	早上、上午
오후	p.m., afternoon	下午
일어나다	wake up, get up, stand up, rise up	起来、起床
일찍	early	提前；早
저녁	evening	黄昏、晚上、晚饭
점심	lunch	午饭、中午
채소	vegetable	蔬菜
산책	walk, stroll	散步
스포츠센터	sports center	运动中心
아주	very (much), so, extremely	非常
태권도	taekwondo	跆拳道
같이	together (with)	一起
물건	thing	东西
좋아하다	like	喜欢
기분	feelings , mood	心情
맛있다	delicious, tasty	好吃・美味
안녕히	well, safely	（副词）好好的・安全的
인사말	greeting	开场白、客套话、问候语
자다	sleep	睡觉
잘	well, nicely	好、好好地
잠	sleep	睡觉
헤어지다	part (with, from)	分开

5과

어휘	English	中国语
분	minute	分
시	hour	时
다음 주	next week	下周
시작하다	beginning (of), start (of), begin, start	开始
날씨	weather	天气
무슨	what, what kind of	什么
받다	accept, get, take, receive	接收
소설책	novel	小说
수박	watermelon	西瓜
자전거	bicycle, bike, cycle	自行车
반	group, class	班
자정	midnight	午夜・半夜
전	before	前
정각	the exact time	正点
정오	noon, midday	正午
보다	see, watch, look	看
스키	ski	滑雪
시험	exam, test, examination	考试
일하다	work	做活・干活・干事・工作
치다	play (a game of tennis)	打（球类）
테니스	tennis	网球
멀다	far (from), distant	远
비싸다	expensive, costly, high–priced	贵
옷	clothes, dress	衣服
요리하다	cook	做菜
조용하다	silent, quiet, still, calm	安静
주스	(fruit) juice	果汁
착하다	good, nice, good–natured	善良
편하다	comfortable, relaxed, easy	舒服
배드민턴	badminton	羽毛球
요가	yoga	瑜伽
탁구	ping–pong, table tennis	乒乓球
세수	washing up, washing one's face	洗漱
하지만	but, however, though	但是
계획하다	plan, make a plan	计划
밤	night	夜
병원	hospital	医院
생각하다	think	想
외우다	memorize	背
하루	day, one day	一天

6과

어휘	English	中国语
싸다	cheap, inexpensive, low–priced	便宜
어제	yesterday	昨天
가족	family	家族、家人、家庭
구경하다	see, watch, sightseeing	观看
그러면	and, then, if you do (so)	那么
남동생	younger brother	弟弟
내년	next year	明年
누나	(a boy's) older sister	姐姐（男）
마을	village, town	乡村
어머니	mother	母亲
언니	older (elder) sister	姐姐（女）
여동생	younger sister	妹妹
예쁘다	pretty, beautiful, lovely	漂亮
오빠	(a girl's) older brother	哥哥（女）
올해	this year, the present year	今年
이번	this time	这次
이야기하다	put speaking	谈话
인사동	Insa–dong	仁寺洞
입다	put on, dress, get dressed	穿
주	week	周
지난달	last month	上个月
지난주	last week	上周
지난해	last year, the previous year	去年
한복	hanbok, Korean traditional clothes(dress)	韩服
한옥	(traditional) Korean–style house	韩屋
해	year	太阳
형	elder(older) brother	哥哥（男）
방학	vacation	放假
부산	Busan	釜山
산책하다	take a walk, stroll	散步
여행	travel, traveling, trip	旅行
음식	food	饮食
작년	last year	去年
좋다	good, fine	好
노래하다	sing a song	唱歌
운동	exercise, workout, sports	运动
만들다	make, prepare, cook	制作
비빔밥	bibimbap	拌饭
여행하다	make a trip	旅游
강아지	puppy	小狗
귀엽다	cute	可爱
그래서	so	所以
기쁘다	glad , happy , pleased	高兴
끄다	turn off, turn out, switch off	关
답장	reply, answer	回复
배고프다	hungry	饿
아프다	sick, ill, hurt, ache, painful, sore	疼
약	medicine, drug	药
피곤하다	tired, exhausted	疲倦
힘들다	hard, difficult	吃力・费劲・难・苦
경복궁	Gyeongbokgung; Palace	景福宫

공기	air	空气
꽃	flower, blossom	花
닭갈비	Spicy Stir-fried Chicken	鸡排
박물관	museum	博物馆
배	(Asian) pear	船 · 梨 · 肚子
사진	picture, photo, photograph	照片
시원하다	cool	凉爽、爽
전통	tradition, custom	传统
제주도	Jeju-do	济州岛
찍다	shoot, take, film	照；拍摄
춘천	Chuncheon	春川
한라산	Hallasan Mountain	汉拿山
경주	Gyeongju	庆州
동생	one's younger[little] brother[sister]	妹妹弟弟
맑다	clean, pure, clear	明朗 · 清澈、晴朗
시내	downtown	市内
참	really, truly, very	真的
바람	wind, breeze	海风
불고기	bulgogi; (sliced and seasoned) barbequed beef	烤肉
정말	really, truly, indeed	真的 · 很
차이나타운	Chinatown	中国城
한식당	Korean Restaurant	韩食店
(시간)을/를 보내다	spend time, pass time	度过
떡국	rice-cake soup, tteokguk	年糕汤
명절	(national) holiday	节日
설	New Year's Day	新年
성묘	visiting a family member's grave	扫墓
송편	songpyeon, half-moon-shaped rice cake	松饼
시간	time, hour	时间 · 小时
윷놀이	playing yut, a game of yut	投骰游戏
음력	lunar calendar	阴历
추석	Chuseok, Korean Thanksgiving Day	中秋

7과

어휘	English	中國語
가을	fall, autumn	秋天
겨울	winter	冬天
계절	season	季节
덥다	hot	热
등산	montain climbing, mountaineering	登山 · 爬山
따뜻하다	warm	温暖
봄	spring	春天
사계절	four seasons	四季
산	mountain	山
아름답다	beautiful, gorgeous	美丽
여름	summer	夏天
춥다	cold	冷
항상	always	经常 · 总是
스키장	ski resort	滑雪场
자주	often, frequently	经常
지난겨울	last winter	去年冬天
화장하다	makeup, make-up	化妆
돕다	help	帮助
맵다	spicy, hot, fiery	辣
무겁다	heavy, weighty	重、沉
구두	shoes	皮鞋
남자	man	男子 · 男人
백화점	department store	百货店
질문하다	question	提问
바다	sea, ocean	大海
지하철역	subway station	地铁站
단풍	fall[autumn] foliage, autumn colors[leaves]	枫叶
모자	hat, cap	帽子
시장	market, marketplace	市场
회	raw fish	生鱼片
흐리다	cloudy	浑浊、阴天
또	besides	还
무척	very, really	非常
설악산	Seoraksan Mountain	雪岳山
요즘	these days, nowadays	最近
강원도	Gangwon-do province	江原道
꽃구경	flower viewing	看花 · 赏花
눈	eye	眼睛、雪
눈썰매	sled	雪橇
벚꽃	cherry blossoms	樱花
속초	Sokcho	束草
스노보드	snowboard	滑雪板
야외	the open air	野外
여의도	Yeoeui-do (region in Seoul)	汝矣岛
지리산	Jirisan (mountain)	智异山
축제	festival	庆典
특히	especially	特别
피다	bloom, blossom	(花) 开
해수욕장	beach	海水浴场
해운대	Haeundae (place)	海云台

8과

어휘	English	中國語
N에 여행(을) 가다	go on a trip to	去...旅行
N에서 여행하다	travel in	在...旅行
N을 여행하다	travel	旅行、去...旅行
나흘	four days	四天
닷새	five days	五天
돌아가다	go back, return	回去
사흘	three days	三天
아흐레	nine days	九天
얼마	how much[many]	多少
여드레	eight days	八天

열흘	ten days	十天
엿새	six days	六天
이레	seven days	七天
이틀	two days	两天
종일	all day, the whole day	整天
초대하다	invite	招待
꼭	certainly, exactly, without fail	一定
단어	word	单词
입학하다	enter [be admitted to] a school	入学
놀다	play, frolic	玩
들어가다	enter, go into, get in	进去
벗다	take off, undress, remove	脱
손	hand	手
씻다	wash, rinse	洗
닦다	dry (up); wipe, brush, mop	擦
빗다	comb[brush] one's hair	梳
샤워	shower	淋浴
식사	meal; eating	吃饭・饭
이	tooth, teeth	牙齿
보통	usually, generally, normally, ordinarily	平常、一般
모임	meeting, gathering	聚会
유학생	student studying abroad	留学生
돌아오다	come back, return	回来
비행기	airplane	飞机
예매하다	book(reserve) a ticket	预定
친척	relative, relation	亲戚
표	ticket	票
결혼	marriage, wedding	结婚
계획	plan, scheme	计划
끊다	stop, give up	挂・断
노력하다	try, make an effort, work hard	努力
담배	cigarette	香烟
벌다	gain, save	赚
새해	new year	新年
세우다	stand, erect	建立、制定

9과

어휘	English	中国语
N에 N입니다.	cost N for N	N（数字）个（单位）N（价格）元。
N에 얼마입니까?	How much is it for N	N（数字）个（单位）多少钱？
감자	potato	土豆
개	piece, unit	个
당근	carrot	胡萝卜
싱싱하다	fresh	新鲜
여기 있습니다	here it is.	在这里
고민하다	worry	苦闷
마음	mind, heart	心
아직 AV-지 않다	not yet	还没AV, 还不AV
아직 안 AV	not yet	还没AV, 还不AV
여자	woman, lady	女子・女人・女
전하다	tell, convey, communicate	转告
고양이	cat	猫
권	volume; book, copy	本
대	counting unit; airplanes, cars	台
마리	counting unit; animals	只
마지막	the last	最后
명	counting unit; persons	名
번째	number; -th	次・个
벌	counting unit; clothes, shoes	套；蜜蜂
병(瓶)	counting unit; bottles	瓶
분	minute	分
비누	soap	肥皂
살	counting unit; age	岁
색종이	colored paper	白纸
손님	guest, visitor	客人
송이	bunch (of), cluster (of)	束・朵
양말	socks	袜子
자동차	automobile, car	汽车
자루	counting unit; writing materials	柄・把・支
자리	mat; bed, seat	位置・座位
잔	counting unit; cup, glass	杯
장(章)	sheet	章
장갑	glove	手套
장미	rose	玫瑰
종이	paper	纸
째	a class; a rank; a grade; -th; ahead	第
켤레	pair	双
콜라	cola	可乐
닫다	close, shut	关
마음에 들다	be to one's liking	中意
앉다	sit	坐
웃다	smile, laugh	笑
남대문	Namdaemun, the (Great) South Gate (of Seoul)	南大门
남산	Namsan Mountain	南山
생선	fish	鱼（能吃的）
시험공부	preparation [studying] for an exam	准备考试
케이크	cake	蛋糕
걸다	make a phone call	打电话
이메일	e-mail	电子邮件
전화	telephone	电话
초대장	invitation card	请帖、邀请函
넥타이	tie, necktie	领带
손수건	handkerchief	手帕
운동화	sports shoes	运动鞋
세일하다	be on sale, sell at a discount	打折
짜리	worth, value of money	...的・表货币单价、表货币面额或商品单价

사랑하다	love	爱
어버이날	Parents' Day	双亲节
카네이션	carnation	康乃馨
카드	card	卡
포장하다	wrap (up), pack (up), package (up), do packing	包装
가격	price	价格
관광객	tourist, traveler, sightseer	观光客
교통	traffic, transportation	交通
동대문	Dongdaemun Gate	东大门
수산 시장	fish market	水产市场
수산물	marine products, seafood	水产品
오징어	squid, cuttlefish	鱿鱼
외국인	foreigner	外国人
조개	clam	贝・蛤
편리하다	convenient, handy	方便

10과

어휘	English	中国语
기온	temperature	气温
넣다	put	放入、装入
닭	chicken, hen	鸡
도	degree	度
삼계탕	samgyetan; chicken soup with ginseng	参鸡汤
인삼	ginseng	人参
N인분	portion	人份
갈비탕	galbitang; short rib soup	排骨汤
여기요	here; hello, hey	这里（店里叫店员用）
주문하다	order, order, place[give] an order	点菜
냉면	naengmyeon; cold noodles	冷面
에어컨	air conditioner	空调
켜다	light up	开
겨울옷	winter wear [clothes]	冬装・冬服
다리	leg; bridge	桥
곧	soon	马上
길	street, road	路
늦다	late	晚・迟
도착하다	arrive	到达
막히다	be blocked; be jammed	堵
빨리	quickly	快
사용하다	use	使用
위험하다	dangerous	危险
조심하다	be careful, take precautions	小心
출발하다	departure, leave, start	出发
택시	taxi	出租汽车
라면	ramen	方便面
세계	world	世界
차	tea	茶
방송	broacast(ing)	广播

김밥	gimbap	紫菜包饭
김치찌개	pork stew with gimchi	泡菜汤
된장찌개	soybean-paste pot stew	大奖汤
떡볶이	tteokbokki; stir-fried rice cake	炒年糕
만두	dumpling, wonton	饺子
우동	noodles	乌冬面
계란	egg	鸡蛋
고기	meat	肉
달다	sweet, sugary	甜
맛	taste	味道
밀가루	flouer	面粉
샐러드	salad	沙拉
재료	material, ingredient	材料
치즈	cheese	奶酪・乳酪
필요하다	necessary, be in need (of)	需要・必要
파티	party	派对
김	seaweed, laver	紫菜
단무지	danmuji (pickled radish)	酸萝卜、腌黄萝卜
담다	fill; put into	盛・装
말다	roll (up)	卷
썰다	cut, chop (up), slice (up)	切
야채	vegetable	菜
접시	dish	碟子
칼	knife	刀

11과

어휘	English	中国语
가르치다	teach, instruct, coach	教学、教、告诉
다	all	都
문법	grammar	语法
바쁘다	busy	忙
여보세요	hello	喂？
전네요	Speaking.	是我（打电话时用）
좀	please	稍微
다치다	get hurt [injured]	伤损・摔坏・带伤
바꾸다	change, switch, turn	换
얘기	talk, conversation, chat; story	故事・话
잠깐만 기다려 주세요	Please wait a minute.	请稍等一下
전화 바꿨습니다	This is (somebody) speaking.	电话换过来了
전화 받으세요	A phone call for you.	请接一下电话
전화 잘못 거셨습니다	You have the wrong number.	电话打错了
전화 좀 바꿔주세요	May I speak to (somebody), please?	请帮我换人接听、请让......接电话
서울	Seoul	首尔
결혼하다	get married	结婚
극장	theater	剧场・电影院
나쁘다	bad	不好・坏
나이	age	年龄

낮	day, daytime	白天
많이	much, a lot	多
맞다	right, correct	对
비	rain	雨
값	price	价格
깎다	reduce, cut, discount	切、削・砍价
들다	raise, lift (up), put up	拿・提
설명하다	explain	说明
알다	know	知道・明白・懂・认识
잠깐	for a moment [while]	一会儿
지갑	purse, wallet	钱包
N에 도움이 되다	be helpful to N	对N有帮助
건강	health	健康
도움	help, aid	帮助
물	water	水
심심하다	be bored	无聊
걷다	walk	走
김치	gimchi	泡菜
땅	earth, land	地
묻다	ask, inquire	问・埋・掩藏
묻다	ask, inquire	问・埋・掩藏
믿다	believe, trust	相信
선배	senior	前辈
소식	news	消息
싣다	load	装、装载、刊登
얻다	get, gain	得到
옛날	the old days	以前
정보	Information	信息
혼자	alone, (all) by oneself	一个人、独自
공연	(public) performance	演出・表演
불꽃놀이	fire-works display [exhibition]	烟花
예술회관	art hall	艺术会馆
문자 메시지	text message	短信
음악회	concert	音乐会
먼저	first, earlier, before, beforehand	先
아랫사람	one's junior	晚辈・下级、下属
예의	manners, etiquette, politeness	礼仪
윗사람	one's elder	上司・长辈
지키다	keep, obey, follow	守护・遵守
통화	call, telephone	通话

12과

어휘	English	中国语
스터디	a study group	学习
갑자기	suddenly	突然
생기다	happen, occur	发生・有・起
아마	probably, perhaps, maybe	大概、可能
일이 생기다	something has happened	发生事情・有事
감기	cold, flu	感冒
걸리다	fall ill(sick), get ill(sick)	花费、患（病）
늦잠	oversleep	懒觉
복잡하다	complicated	复杂
약속	promise	约定
휴일	holiday, day off	休息日・休息天
운전면허	adriver ′ s license	驾照
운전하다	drive	开车
기차	train	火车
어울리다	(a dress) fits nicely	合适
순두부찌개	soft tofu stew	嫩豆腐汤
인기	popularity	人气
일기예보	weather forecast	天气预报
할인	discount	打折
연락하다	contact	联络、联系
예약하다	reservation, booking	预订
음료수	drinking water	饮料
정리하다	arrange	整理
준비하다	prepare	准备
지우다	erase	删掉・擦掉
버스표	bus ticket	巴士票
글쎄	well	表犹豫・这个嘛 ....
나중	later, after a while	一会儿
어떡하지요?	What am I going [supposed] to do?	怎么办
공연장	theater, concert hall	公演场、演出场所
그러니까	then	所以说
뭇타	pummeling, random blows	乱打乱斗・乱敲打・乱打
받는 사람	receiver	接收人
보내는 사람	sender	寄件人
입장권	ticket	入场券
제목	title	题目
가끔	sometimes	偶尔
계속	continuation; continuously	继续・连续・接踵而来・不断
대답하다	answer, reply	回答
말	word, mention	话
사귀다	get acquainted; make friends	交・交往・打交道・交朋友・结识・结交
안부	safety, welfare	问候
우연히	by chance, by accident	偶然的、地
익숙하다	skilled, experienced	熟悉
잠시	for a moment [while]	片刻・一会儿
적응하다	adapt (oneself) to	适应
한번	a [one] time; once	一次

13과

어휘	English	中国语
N에서 N(으)로 갈아타다	transfer from ___ to ___.	在...换乘
N에서 N까지 N이/가 걸리다	It takes about ___ from ___ to ___.	从...到...花费...时间
N에서 내리다	get off at ___.	在...下车
N에서 타다	get on at ___.	在...乘坐
N을/를 타고 가다	take a ___ , go on a ___	乘坐...去
N쯤[정도] 걸리다	It takes about ___.	大约花费...
갈아타다	change (cars), transfer	换乘
걸어서 가다	go on foot	走着去
내리다	get off	下・落
어떻게 AV	how	怎么AV
얼마나 V	how much [many]; how long	多么AV
정류장	stop, station	转乘站、站牌、停车站
호선	line	（几）号线
행인	passerby	行人
건너다	cross; go over, go across	渡・过・蹚・涉・翻过・越过
쭉	straight	直直地・一溜儿
횡단보도	crosswalk	人行横道
가져오다	bring	带来
KTX	Korea Train eXpress	高速列车
숟가락	spoon	勺子
젓가락	chopstick	筷子
N이/가 N에서 가깝다	N is close from N	N离N进
N이/가 N에서 멀다	N is far from N	N离N远
길다	long	长
불다	blow	吹・刮
살다	live	活・生活
열다	open	开
울다	cry	哭
자르다	cut	剪
팔다	sell	卖
게임	game	游戏
녹차	green tea	绿茶
드라마	drama	电视剧
액션	action	动作、武打
코미디	comedy	喜剧
고장	breakdown	故障
나다	happen, occur	发生
너무	too (much)	非常
피아노	piano	钢琴
급행	express (train)	急行、快走
대학로	Daehak-ro (street)	大学路
지하철 노선도	subway [metro] map	地铁路线图
방향	direction, way	方向
사거리	crossroads	十字路口
직진하다	go straight ahead	前进・直线
교통 카드	transportation card	交通卡
단말기	card reader	终端（设备）
대다	put, touch	接触
대중교통	public [mass] transportation	大众交通
이용하다	use, utilize	利用
전국	the whole country [nation]	全国
현금	cash	现金

14과

어휘	English	中国语
고객	customer, client	顾客
바로	at once, immediately	马上
어떻게 오셨습니까?	What can I do for you?	我可以为你做些什么吗（店员用）·您需要什么
여권	passport	护照
외국인 등록증	certificate of alien registration	外国人登陆证
통장	bankbook	存折
현금카드	cash card	现金卡
부치다	send	寄・托运
상자	box	箱子
오랜만	in a long time	很长时间
경제	economy	经济
뮤지컬	musical	音乐剧
취직하다	get [find] a job	就业
조용히	silently, quietly	安静地
댁	(honorific term) residence, house	府上・집的敬语
말씀	(honorific term) word(s)	话（敬语）
생신	(honorific term) birthday	生日（敬语）
소포	package	包裹
연세	(honorific term) age	年龄（敬语）
진지	(honorific term) meal	膳・餐
가볍다	light, not heavy	轻
걱정	worry, anxiety, concern	担心
등산화	mountain-climbing boots	登山鞋
살	counting unit; age	岁
스트레스	stress	压力
신다	put on; wear	穿
아이스크림	ice cream	冰淇淋
전자사전	electronic dictionary	电子词典
찌다	get steaming hot, be sultry, be sweltering	蒸
차갑다	cold	凉・冰冷
발표하다	announcement	发表
버리다	throw away	丢掉
서다	stand (up); stop	站
쓰레기	waste	垃圾
피우다	smoke (a cigarette)	抽（烟）
기능	function	机能、技能、功能
특별송달	special delivery	特殊配送
무료	free (of charge)	免费
어린이	child	小孩儿
주의 사항	matters to be attended to	注意事项

지하	basement	地下
단	provided	但, 只是
떠들다	talk, chat	吵闹
안내	announcement, guidiance	说明
열람실	reading room	阅览室
유의 사항	matters to be attended to	注意事项
휴학생	student on a leave of absence	休学生、休学的学生
규칙	rule, regulation	规则
공공장소	public place	公共场所
과거	past	过去
교육	education	教育
국립중앙박물관	the National Museum of Korea	国立中央博物馆
놀이	play, game	游戏・玩具
다양하다	various, diverse	多样
모습	figure, shape	样子
문화	culture	文化
민속촌	Folk Village	民俗村
상상하다	imagine	想象
여러	several; all sorts of	许多・不少・几・数
역사	history	历史
예술	art	艺术
직접	personally; directly	直接
체험하다	experience	体验
프로그램	program	节目

15과

어휘	English	中国语
기침	cough	咳嗽
더	more	更
목	throat, neck	脖子
열	fever	热・烧
처방전	prescription	处方笺、处方、药方
콧물	nasal discharge	鼻涕
푹	deeply; sufficiently	好好
N씩	each, respectively, apiece	个（单独）、每...
N에 N번	N times per N	N（数字・单位）N次
간단하다	simple, easy	简单
물약	liquid medicine	药水
알약	tablet, pill	药片
낮다	low	低
높다	high	高
두껍다	thick	厚
빠르다	fast, quick	快
얇다	thin	薄
가지다	take, have, keep, possess	带・拿
돼지고기	pork	猪肉
떨어지다	fall	掉・落
뜨겁다	hot, burning	热
배구	volleyball	排球
배탈	stomachache, stomach problem	腹痛・闹肚子、腹泻
소고기	beef	牛肉
호주	Australia	澳大利亚
깊다	deep	深
멋있다	stylish, wonderful, fashionable	帅
목소리	voice	声音
무섭다	scary, frightening, terrible	可怕・害怕
색깔	color	颜色
시다	sour	酸
어떤 N	what kind [sort] of N	什么样的N
경기장	stadium	竞技场・赛场・体育场
그릇	bowl; vessel	碗
진찰	medical examination	门诊・诊察
술	alcoholic drink	酒
설사	diarrhea	即使、腹泻
죽	porridge, (rice) gruel	粥
차다	cool	凉
유행	fashion, vogue	流行
게시판	notice [bulletin] board	揭示板・布告板・告示牌
습관	habit	习惯
식전	before a meal	吃饭前
식후	after a meal	吃饭后
임산부	pregnant woman, expectant mother	孕妇
주의	care, caution, beware	注意事项
봉사	service	牺牲・服务
여가	leisure, spare time, free time	空闲
최근	recent, the latest	最近
활동	activity	活动

16과

어휘	English	中国语
그립다	miss, long for	想念
기대하다	expect	期待
다녀오다	go and get back	去去就来・去过
무역 회사	trading company	贸易公司
AV-는 게 어때요?	how about (AV-ing)?	做个（AV）怎么样？
감사	thanks, gratitude	感谢
고민	worry	苦闷
생각	thinking, thought	思考・想法・想・主意
곳	place, point, spot	地方
바지	trousers	裤子
성격	personality	性格
성실하다	faithful, sincere	勤劳的、勤恳、诚实
이사하다	move, change one's residence	搬家
학기	semester, term	学期
싫어하다	dislike	讨厌

얼굴	face	脸
고치다	repair, fix	修理
과자	cracker	点心 · 饼干
기뻐하다	be glad (that) , be happy[pleased]	高兴
유명하다	famous	有名
가족사진	family picture	全家福
경치	landscape ; scene	风景
관광 명소	tourist attractions	旅游胜地、观光名胜、旅游景点
섬	island	岛
해산물	seafood	海鲜
흑돼지	black pork	黑猪
가장	most, best	最
맛보다	taste	尝
N(이)라고 부르다	call N	叫N
느낌	feeling ; impression	感觉
아주머니	aunt	阿姨
원래	originally, naturally	原来
이모	mother's sister ; (maternal) aunt	姨母
친근하다	close (to), familiar	亲近
친하다	close, familiar	亲近 · 亲密
표현하다	express	表现
후배	one ' s junior in school	后辈

새인하한국어1

2014년 12월 05일 1쇄 발행
2025년 01월 20일 8쇄 발행
저　자 : 최권진, 이은혜, 서상영, 정지현
발행처 : 인하대학교 출판부
주　소 : 인천광역시 미추홀구 인하로 100
전　화 : 032) 860-8301
등　록 : 1979년 5월 23일 남구 제13호

인쇄·편집 : 진원디자인프린텍 TEL : 032)467-4544~5

ISBN : 978-89-7407-968-0
978-89-7407-961-1(세트)
정　가 : 27,000원